MÉTODO DE ESPAÑOL PARA EXTRANJEROS

PRISMA

NIVEL INICIAL

LIBRO DEL ALUMNO

Equipo prisma

Equipo prisma: Águeda Alba, Ana Arámbol, Cristina Blanco, Raquel Blanco, Isabel Bueso, Gloria Caballero, Ana Dante, Esther Fernández, Raquel Gómez, Ainhoa Larrañaga, Adelaida Martín, Ramón Martín, Silvia Nicolás, Carlos Oliva, Isabel Pardo, Marisa Reig, Marisol Rollán, María Ruiz de Gauna, Ruth Vázquez, Fausto Zamora

© Editorial Edinumen, 2007
© Autores de este nivel: Isabel Bueso, Raquel Gómez, Carlos Oliva, Isabel Pardo, María Ruiz de Gauna y Ruth Vázquez, Raquel Blanco, Silvia Nicolás, Marisa Reig
© Adaptador: José Manuel Foncubierta

ISBN: 978-84-9848-055-9
Depósito Legal: M-2897-2016
Impreso en España
Printed in Spain

1.ª edición: 2007
1.ª reimpresión: 2008
Reimpresiones: 2009, 2010, 2011, 2012, 2013, 2014 y **2016**

Coordinación pedagógica:
María José Gelabert

Coordinación editorial:
Mar Menéndez

Ilustraciones:
Miguel Alcón, Carlos Casado, Carlos Yllana, Juan José Fernández de Latorre

Diseño de cubierta:
Carlos Casado, Juanjo López

Diseño y maquetación:
Ángeles Tornero, Juanjo López, Carlos Yllana, Antonio Arias

Fotografías:
Archivo Edinumen, Javier Leal, Stephane Benain, Jacobo Morales, Carlos Ortiz, Fernando Ramos Jr.

Impresión:
Gráficas Glodami. Madrid

Editorial Edinumen
José Celestino Mutis, 4. 28028 - Madrid
Teléfono: 91 308 51 42
Fax: 91 319 93 09
e-mail: edinumen@edinumen.es
www.edinumen.es

Con **EXTENSIÓN DIGITAL**

ELEteca
un espacio en constante actualización

Extensión digital de **Prisma Inicial (A1-A2)**: consulta nuestra **ELEteca**, en la que puedes encontrar, con descarga gratuita, materiales que complementan este curso.

La Extensión digital para el **alumno** contiene los siguientes materiales:
- Prácticas interactivas

Recursos del alumno:

Código de acceso

98480559
www.edinumen.es/eleteca

La Extensión digital para el **profesor** contiene los siguientes materiales:
- Fichas fotocopiables y sus claves
- Transparencias
- Material de evaluación

Recursos del profesor:

Código de acceso

Localiza el código de acceso en el
Libro del profesor

En el futuro, podrás encontrar nuevas actividades. **Visita la ELEteca**

introducción

PRISMA es una colección de manuales para la enseñanza y el aprendizaje del español para extranjeros estructurado en **6 niveles: Comienza (A1), Continúa (A2), Progresa (B1), Avanza (B2), Consolida (C1)** y **Perfecciona (C2)**, según las directrices del *Marco común europeo de referencia* y del *Plan curricular del Instituto Cervantes. Niveles de referencia.* El objetivo general de **PRISMA** es la capacitación del alumno como agente social, una meta educativa que promueve el desarrollo en el estudiante de las competencias y estrategias necesarias para posibilitar el ejercicio de sus habilidades lingüísticas y no lingüísticas, con el fin de que pueda desenvolverse de manera integradora en un contexto hispano.

El Marco Común Europeo de Referencia (MCER) es el documento que nos ha proporcionado la base para la construcción del soporte metodológico, el establecimiento de una secuenciación didáctica de niveles de dominio de acuerdo con las necesidades del estudiante y la selección de contenidos para la adquisición de la competencia comunicativa. No en vano, este documento describe lo que tienen que aprender a llevar a cabo los estudiantes con el fin de utilizar una lengua para comunicarse, así como los conocimientos y las destrezas que deben desarrollar para poder actuar de manera eficaz dentro de un determinado contexto cultural.

PRISMA INICIAL (A1-A2) es un manual que recoge fielmente los contenidos de los niveles A1 y A2 para el desarrollo de las competencias básicas del alumno a fin de que este pueda satisfacer sus necesidades comunicativas más inmediatas, así como sus logros académicos. *El Libro del alumno, el Libro de ejercicios y el Libro del profesor* aúnan diferentes tendencias metodológicas desde una perspectiva comunicativa, con lo que se procuran los recursos didácticos suficientes para atender a la diversidad y heterogeneidad tanto de discentes como de docentes.

El juego completo de **PRISMA INICIAL** se corresponde con la primera etapa de formación de los procesos de enseñanza y aprendizaje para el español de acuerdo con las características del **usuario básico** descrito en el MCER. En **PRISMA INICIAL (A1-A2)** el estudiante comienza a desenvolverse en situaciones sociales que se corresponden con el nivel elemental de competencia. Cada unidad didáctica tiene autonomía, pero recoge contenidos gramaticales, léxicos y funcionales de unidades anteriores (retroalimentación). Cada actividad va acompañada de unos iconos que marcan la destreza que se va a trabajar (leer, escribir, escuchar, hablar), así como la distribución de clase sugerida por los autores (individual, parejas, grupos pequeños, grupo de clase), también aparece un icono cuando se requiere una explicación del profesor o un juego (siempre presente en el libro del profesor).

Además, el estudiante tiene a su alcance el material de la Extensión digital de **PRISMA INICIAL (A1-A2)** (ver código de acceso en página 2) que amplía y complementa este método.

PRISMA INICIAL (A1-A2) del alumno consta de diecinueve unidades más dos de repaso y abarca aproximadamente **120 horas lectivas**. Cada unidad didáctica se desarrolla atendiendo a:

- **Integración de destrezas:** una gran parte de las actividades están planteadas para llevarse a cabo en parejas o grupo, con el fin de potenciar la interacción, la comunicación y la interculturalidad.

- **Hispanoamérica:** se deja sentir en los contenidos culturales que aparecen en textos y audiciones, lo que permite hacer reflexionar al estudiante sobre la diversidad del español, como lengua y como prisma de culturas.

- **Gramática:** se presenta de forma inductiva y deductiva para que los estudiantes construyan las reglas gramaticales basándose en su experiencia de aprendizaje o dando una regla general que deben aplicar, dependiendo de la frecuencia, rentabilidad o complejidad de los contenidos.

- **Autoevaluación:** se sugieren tanto actividades conducentes a que el estudiante evalúe su proceso de aprendizaje, como actividades que potencien y expliciten las estrategias de aprendizaje y comunicación.

- **Modelos de examen DELE B1 (Inicial):** El libro finaliza con unas breves explicaciones acerca del funcionamiento de las pruebas que conducen a la obtención del certificado inicial de español que emite el Instituto Cervantes. Además, incorporamos dos pruebas pertenecientes a nuestro manual, *El Cronómetro. Manual de preparación del DELE, Nivel B1 (Inicial)*.

Nuestro objetivo educativo contempla que al final del proceso de enseñanza-aprendizaje el estudiante pueda:

- Desenvolverse en intercambios sociales breves.

- Discutir asuntos prácticos de la vida diaria.

- Narrar y describir experiencias personales y profesionales acontecidas en el pasado.

- Utilizar fórmulas de cortesía habituales.

- Expresarse a través de la comunicación no verbal.

- Superar sin dificultad el examen DELE B1 (Inicial).

PRISMA INICIAL (A1- A2) del profesor recoge:

- **Propuestas, alternativas y explicaciones** para la explotación de las actividades presentadas en el libro del alumno, prestando especial atención al **componente cultural y pragmático**, con el fin de que el estudiante adquiera un aprendizaje global. Asimismo, las actividades de este libro permiten incidir en aquellos aspectos que aún necesiten ser ejercitados, con lo cual el *Libro del profesor* te permite complementar cada una de las unidades didácticas del *Libro del alumno* si lo consideras oportuno.

- **Fichas fotocopiables,** tanto de refuerzo gramatical como para desarrollar situaciones comunicativas o tareas, dentro y fuera del aula, para que el estudiante tome conciencia de la diferencia de los intereses individuales, de su visión del mundo y, en consecuencia, de su aprendizaje.

- **Material para transparencias** de apoyo para el proceso de enseñanza/aprendizaje.

- **Apéndice de ortografía y pronunciación** con ejercicios prácticos.

- **Transcripciones** de las audiciones.

- **Claves** de los ejercicios.

Equipo prisma

índice *de contenidos*

Nota: se incluyen los contenidos culturales tanto de PRISMA del alumno como de PRISMA del profesor.

Unidad 4

Contenidos funcionales	Contenidos gramaticales	Contenidos léxicos	Contenidos culturales
• Expresar necesidades, deseos y preferencias • Pedir y dar información espacial	• Uso de los comparativos: igualdad, superioridad e inferioridad con adjetivos • Comparativos irregulares • Verbos: *necesitar, querer, preferir* + infinitivo/sustantivo • Preposiciones *en* y *a* con verbos de movimiento *Porque y para*	• Transportes • Establecimientos comerciales y de ocio	• El transporte en España • La fiesta de los Reyes Magos

Unidad 5

Contenidos funcionales	Contenidos gramaticales	Contenidos léxicos	Contenidos culturales
• Preguntar y decir la hora • Describir acciones y actividades habituales • Expresar la frecuencia con que se hace algo	• Presente de indicativo (verbos irregulares) • Verbos reflexivos • Adverbios y expresiones de frecuencia	• Actividades cotidianas y de ocio • Partes del día • Meses del año • Días de la semana	• Los horarios, costumbres y estereotipos sobre España y los españoles • El lenguaje no verbal • Literatura: Juan José Millás

Unidad 6

Contenidos funcionales	Contenidos gramaticales	Contenidos léxicos	Contenidos culturales
• Expresar gustos y preferencias • Expresar acuerdo y desacuerdo • Pedir algo en un restaurante, bar...	• Verbos *gustar, encantar...* • Verbo *doler* • Pronombres de objeto indirecto • Adverbios: – *también/tampoco*	• Ocio y tiempo libre • Comidas y alimentos • Partes del cuerpo • En el médico	• Gastronomía española • Los bares en España • Gestos relacionados con el bar • El ocio de la juventud española

Unidad 7

Contenidos funcionales	Contenidos gramaticales	Contenidos léxicos	Contenidos culturales
• Descripción de una acción que se está realizando: hablar de la duración de una acción • Expresar simultaneidad de acciones	• *Estar* + gerundio • Verbos de tiempo atmosférico: *llover, nevar,* etc. • *Hace* + *muy/mucho* + adjetivo/sustantivo • Uso de la preposición *en* • *Muy/mucho*	• El tiempo atmosférico • En la costa/en el interior/en la montaña • Los puntos cardinales • Estaciones del año	• El clima en España y Uruguay

Unidad 8

Contenidos funcionales	Contenidos gramaticales	Contenidos léxicos	Contenidos culturales
• Expresar/preguntar por la cantidad • Hablar de la existencia, o no, de algo o de alguien • Expresar duda, indecisión o ignorancia • Preguntar por un producto y su precio	• Presentes irregulares • Pronombres de objeto directo • Pronombres y adjetivos indefinidos • Pronombres y adjetivos demostrativos • Pronombres interrogativos • Números cardinales del 101 al millón • Preposición *para*	• Las compras • Las tiendas • El supermercado. La lista de la compra • Relaciones sociales en España	• Gastronomía en Guatemala • Costumbres propias de España

ÍNDICE • PRISMA INICIAL

En el método se han usado los siguientes símbolos gráficos:

 Trabajo individual

  Hablar

 Audio
[Número de la grabación]
[1]

 Trabajo en parejas

 Escribir

 Léxico

 Trabajo en pequeño grupo

 Leer

 Profesor

 Trabajo en gran grupo o puesta en común

 Jugar

Tareas para realizar en casa

Unidad

1

Contenidos funcionales
- Saludar formal e informalmente
- Identificar(se): decir la nacionalidad, el origen, la profesión, la edad...
- Presentar(se)
- Despedirse
- Dar una opinión

Contenidos gramaticales
- El alfabeto
- Presentes: *ser, tener y llamarse*
- Números: *0-101*
- Los demostrativos: *este, esta, estos, estas*
- Género y número en adjetivos
- Interrogativos: *¿Cómo/De dónde/ Cuántos?*
- *Yo creo que* + opinión

Contenidos léxicos
- Adjetivos de nacionalidad
- Nombres de países
- Profesiones
- Lenguas
- Léxico de supervivencia en clase

Contenidos culturales
- Los nombres y apellidos en España

1 Contactos
en español

1.1.   **Escucha cómo se presentan estas personas, ¿quién es quién?**
[1]

Presentarse y saludar

▶ Hola, me llamo + nombre. ¿Y tú? (¿cómo te llamas?)

▷ (Me llamo) + nombre / Soy...

▶ ¿Cómo se llama?

▷ Se llama + nombre /Es...

Presente

Llamarse

Yo	me llamo
Tú	te llamas
Él/ella	se llama
Usted	se llama
Nosotros/as	nos llamamos
Vosotros/as	os llamáis
Ellos/ellas	se llaman
Ustedes	se llaman

1.2. **Y tú, ¿quién eres? En grupos de tres, decid quiénes sois.**

2 El **alfabeto** y los **sonidos**

2.1. 👤 🎧 **Escucha y repite.**
[2]

EL ALFABETO

a	a	**h**	hache	**n**	ene	**t**	te
b	be	**i**	i	**ñ**	eñe	**u**	u
c	ce	**j**	jota	**o**	o	**v**	uve
ch	che	**k**	ka	**p**	pe	**w**	uve doble
d	de	**l**	ele	**q**	cu	**x**	equis
e	e	**ll**	elle	**r**	erre	**y**	i griega
f	efe	**m**	eme	**s**	ese	**z**	zeta
g	ge						

La **ch** y la **ll** representan un sonido.

2.2. 👤 ✏️ **Aquí están los nombres de las letras. Escribe la letra junto a su nombre.**

Ejemplo: cu [q]

uve doble [ ]   erre [ ]

ce [ ]   uve [ ]

ge [ ]   jota [ ]   hache [ ]

equis [ ]   zeta [ ]

i griega [ ]

2.3. 👥 💬 **Pregunta a tu compañero para completar el cuadro.**

Ejemplo: ▷ ¿Cómo se llama de nombre Rodríguez Navarro?
▶ María Soledad.
▷ ¿Cómo se escribe?
▶ María: eme, a, erre, i, a. Y Soledad: ese, o, ele, e, de, a, de.

alumno a

Nombre	Apellidos
1. María Soledad	Rodríguez Navarro
2.	Matute
3.	de Goya y Lucientes
4. Mario	Vargas Llosa
5. Ramón	del Valle Inclán
6.	Muñoz Molina
7. Emilia	Pardo Bazán

CONTINÚA ••••

Ejemplo: ▷ *¿Cómo se apellida María Soledad?*

▶ *Rodríguez Navarro.*

alumno b

Nombre	Apellidos
1. María Soledad	**Rodríguez Navarro**
2. Ana María	Matute
3. Francisco	de Goya y Lucientes
4. Mario	
5. Ramón	
6. Antonio	Muñoz Molina
7. Emilia	

3

¿De dónde...?

3.1. 👥 ✏️ **Con tu compañero, escribe más nombres de países.**

Asia	África	Europa	América	Oceanía
China	Egipto	Holanda	Argentina	Australia
		Alemania	México	
		Italia	Colombia	
			Cuba	

3.2. 👥 💬 **¿Sabes de dónde es...? ¿Sabes de dónde son...? Discute con tus compañeros de dónde son estas cosas.**

Ejemplo: ▷ *¿De dónde es el café?*

▶ *Es colombiano.*

▷ *No..., yo creo que es guatemalteco.*

▶ *No sé, pero es americano, seguro.*

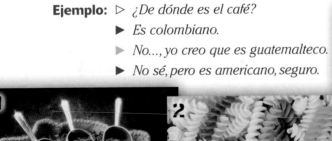

CONTINÚA ⋯▸

UNIDAD 1 · PRISMA INICIAL

Para decir tu opinión:

Yo creo que + *opinión*

3.3. 👤✏️ **Completa el cuadro siguiendo el ejemplo de la primera línea.**

Italia	italiano	italiana	italianos	italianas
México	mexicano		mexicanos	
Sudáfrica	sudafricano			sudafricanas
Brasil		brasileña		brasileñas
Suiza	suizo		suizos	
Suecia		sueca		suecas
Egipto	egipcio		egipcios	
Inglaterra	inglés		ingleses	
Francia		francesa		francesas
Japón	japonés			japonesas
Estados Unidos	estadounidense		estadounidenses	
Bélgica	belga			belgas

4 ¿Quién es...?

4.1. 👫🗨️ **¿Conoces a estas personas? Con tu compañero identifica a estos personajes.**

Nacionalidad
Estadounidense
Español
Colombiano
Egipcia

Nombre
Mickey Mouse
Cleopatra
García Márquez
Don Quijote

Profesión
Reina
Actor
Caballero
Escritor

Ejemplo: *Se llama Gabriel García Márquez.*
Es colombiano.
Es escritor.

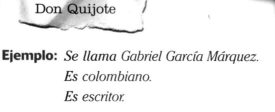

Presente

Ser

Yo	**soy**		Nosotros/as	**somos**
Tú	**eres**		Vosotros/as	**sois**
Él/ella	**es**		Ellos/ellas	**son**
Usted	**es**		Ustedes	**son**

Usamos el verbo *ser* para:

- **Identificarse**
  - **Ser** + nombre
    - ▶ *Soy Marisol García.*

- **Decir la nacionalidad u origen**
  - **Ser** + adjetivo de nacionalidad
    - ▶ *Soy inglés.*
  - **Ser** + **de** + nombre de país, ciudad, pueblo...
    - ▶ *Soy de Manchester.*

- **Decir la profesión o la actividad**
  - **Ser** + nombre de profesión
  - **Ser estudiante de** + estudios
    - ▶ *Yo soy profesora de español, ¿y tú?*
    - ▷ *(Yo soy) Estudiante de Económicas.*

Soy fotógrafo.

5 Los **números**

5.1. Lee.

LOS NÚMEROS

0	cero	**10**	diez	**20**	veinte	**30**	treinta
1	uno	**11**	once	**21**	veintiuno	**31**	treinta y uno
2	dos	**12**	doce	**22**	veintidós	**42**	cuarenta y dos
3	tres	**13**	trece	**23**	veintitrés	**53**	cincuenta y tres
4	cuatro	**14**	catorce	**24**	veinticuatro	**66**	sesenta y seis
5	cinco	**15**	quince	**25**	veinticinco	**75**	setenta y cinco
6	seis	**16**	dieciséis	**26**	veintiséis	**86**	ochenta y seis
7	siete	**17**	diecisiete	**27**	veintisiete	**97**	noventa y siete
8	ocho	**18**	dieciocho	**28**	veintiocho	**100**	cien
9	nueve	**19**	diecinueve	**29**	veintinueve	**101**	ciento uno

5.2. 🧑‍🤝 🎮 **Rellena el crucigrama y encuentra el número secreto.**

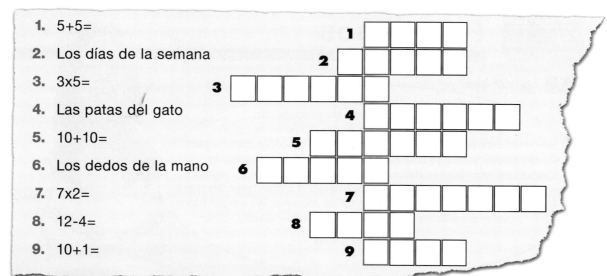

1. 5+5=
2. Los días de la semana
3. 3x5=
4. Las patas del gato
5. 10+10=
6. Los dedos de la mano
7. 7x2=
8. 12-4=
9. 10+1=

5.3. 🧑 ✏️ **Relaciona el signo con su nombre.**

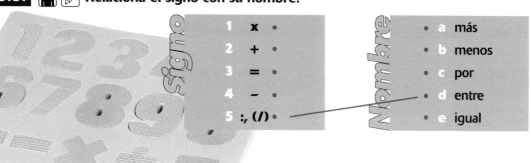

signo

1 x
2 +
3 =
4 –
5 :, (/)

Nombre

• a más
• b menos
• c por
• d entre
• e igual

5.4. 👥 ✏️ **¿Qué tal las matemáticas? Con tu compañero, resuelve las cuentas.**

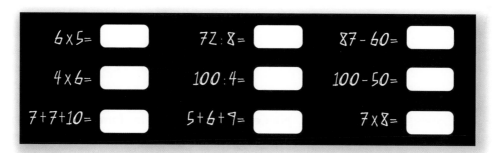

6x5=
72:8=
87-60=
4x6=
100:4=
100-50=
7+7+10=
5+6+9=
7x8=

5.5. 👥 🗣️(BLA)

Alumno A: **Lee a tu compañero los números de tu ficha.**

Alumno B: **Marca los números que lee tu compañero. ¿Cuántos son diferentes?**

alumno a

25	82	85	98	62
77	71	55	48	94
11	43	36	37	16
32	18	67	59	66

alumno b

25	81	85	98	62
76	71	55	48	94
12	44	36	37	15
32	17	68	59	66

6 Repetimos

6.1.  Lee.

> ¡Hola, chicos!
> Me llamo Tina, soy española y tengo veinte años.
> Soy de Santander, una ciudad muy bonita del norte de España.
> Soy estudiante de Medicina en la universidad de Valladolid. Estudio para
> ser médica porque yo creo que es una profesión muy interesante.
> También estudio alemán e italiano para hablar con mis amigos. Tengo dos
> amigos italianos: Paolo y Luigi; ellos son de Nápoles, también tengo una buena
> amiga alemana que se llama Birgit. Es del sur de Alemania. Mis amigos tienen
> veintidós años los tres y estudian Medicina y español.
>
> Un beso y hasta pronto,
>
> Tina

6.2. Completa el cuadro con la información de la carta.

Nombre: ____ Edad: ____

Nacionalidad: ____ Ciudad de origen: ____

Estudios: ____

Lenguas que habla: ____

6.3. Escribe a tus compañeros de clase una carta de presentación.

¡Hola, chicos!

Me llamo ...., soy .... y tengo .... años. Soy de ...., una ciudad .... Estudio .... También estudio lenguas: .... para ....

Un beso y hasta pronto.

6.4. Completa la solicitud con tus datos. Si no comprendes alguna palabra, puedes preguntar a tus compañeros/as o a tu profesor.

CARNET DE LA BIBLIOTECA NACIONAL DE MADRID

APELLIDOS

NOMBRE D.N.I.

DIRECCIÓN N.º PISO ESC.

POBLACIÓN - PROVINCIA C.P.

TELÉFONO FECHA NACIMIENTO SEXO H=HOMBRE M=MUJER

CORREO ELECTRÓNICO

CARNÉ +26 N=NUEVO R=RENOVADO

OCUPACIÓN 1=ESTUDIO 2=TRABAJO 3=ESTUDIO Y TRABAJO 4=EN PARO

DATOS ACADÉMICOS 1=EGB/PRIMARIA 2=ESO 3=BUP/BACHILLERATO 4=FP/CICLOS FORMATIVOS 5=CICLOS FORMATIVOS SUPERIOR 6=UNIVERSITARIOS

RELLENAR POR EL CENTRO

FECHA EXPEDICIÓN

Firma.

En .... a .... de .... de ....

M M La Suma de Todos

6.5. Piensa en un personaje famoso. Tus compañeros van a hacerte preguntas para saber quién es. Tú solo puedes contestar sí o no.

6.6. Vamos a jugar a las profesiones.

7.1. Relaciona cada frase con su dibujo.

- Tengo hambre ○
- Tengo calor ○
- Tengo sed ○
- Tengo dos buenos amigos ○
- ¡Tengo 10 años! ○
- Tengo un coche ○
- Tengo sueño ○

Presente

Tener

Yo	**tengo**	Nosotros/as	**tenemos**
Tú	**tienes**	Vosotros/as	**tenéis**
Él/ella	**tiene**	Ellos/ellas	**tienen**
Usted	**tiene**	Ustedes	**tienen**

El verbo *tener* sirve para:

- **Expresar posesión y pertenencia**
  - *Javier y Susana tienen una casa grande.*
  - *Carlos tiene un diccionario.*

- **Expresar sensaciones y sentimientos**
  - *Tengo hambre.*
  - *Tengo ilusión.*

- **Decir la edad**
  - *Javier tiene 18 años.*
  - *Y tú, ¿cuántos años tienes?*

7.2. Mirad este cuadro. ¿Podéis pensar en tres cosas, edades o sensaciones más?

un teléfono móvil

televisión en color   calor

hambre   una hermana pequeña

más de 18 años   frío   gafas de sol

un bolígrafo rojo   un coche deportivo

_____

_____

_____

7.3. Ahora pregunta a tus compañeros si tienen esas cosas, edad o sensaciones.

Ejemplo: *Oye, ¿tú tienes teléfono móvil?*

7.4. Pregunta a tus compañeros su edad y escribe una lista. ¿Quién es el mayor?, ¿y el más joven? Podéis también hacer una lista de las edades de vuestra familia.

8 Repetimos

8.1. Completa el cuadro.

	Ser	Llamarse	Tener
Yo	soy		
Tú			tienes
Él, ella, usted		se llama	
Nosotros/as			tenemos
Vosotros/as	sois		
Ellos, ellas, ustedes			

9 ¿Qué tal?

9.1. Escucha los dos diálogos y completa.
[3]

A
▷ *Hola, Álvaro, ¿qué tal?*
► *Bien. Mira, esta es Teresa.*
▷ *Hola, ¿...........................?*
► *Bien, ¿y tú?*
▷ *Bien, bien. Bueno, hasta luego.*

B
► *..........................., Sr. López, ¿qué tal está?*
▷ *Muy bien, gracias. Mire, le presento a la Srta. Alberti.*
► *Encantado.*
► *Mucho gusto.*

9.2. Elige la opción correcta.

Diálogo A	☐ En el trabajo	☐ Entre amigos
Diálogo B	☐ En el trabajo	☐ Entre amigos

9.3. Completa el cuadro con las expresiones de los diálogos.

Informal

- **Para saludar**

  − ....

  − Hola, ¿cómo estás?

- **Para presentar a alguien**

  − .... + nombre

- **Para responder a un saludo**

  ► Hola.

  ▷ ....

  ► Bien, ¿y tú?

  ▷ ....

- **Para despedirse**

  − Adiós.

  − .... /pronto/mañana.

Formal

- **Para saludar**

  − Buenos días, ⎫
  − Buenas tardes, ⎬ Sr. ⎫ ....
  − Buenas noches, ⎭ Sra. ⎭

- **Para presentar a alguien**

  − Le .... ⎧ al Sr. ⎫ (nombre) + apellido
  ⎨ a la Sra. ⎬
  ⎩ a la Srta. ⎭

- **Para responder a una presentación**

  − ....

  − ....

Para despedirse

  − Adiós.

  − .... /pronto/mañana.

Presentarse formal e informalmente

- **Informal**

  ► *Hola, ¿qué tal? Soy* + nombre.

  ▷ *Hola, (yo) soy* + nombre.

- **Formal**

  ► *Hola, ¿qué tal? Soy* + nombre + apellido.

  ▷ *Mucho gusto, encantado/a.*

  ► *Igualmente (mucho gusto).*

Presentar a alguien formal e informalmente

- **Informal**

  ► *Mira, este es Paco.*

  ▷ *Hola, yo soy Ana.*

  ► *Hola, ¿qué tal?*

  A *Mira,* | este/a es
  estos/as son | + nombre(s).

  B *Hola, ¿qué tal?*

- **Formal**

  ► *Mire, le presento al señor Torres.*

  ▷ *Mucho gusto, encantada.*

  ► *Igualmente (mucho gusto).*

  A *Mire, le presento al señor/a la señora* + apellido.

  B *Mucho gusto, encantado/a.*

  C *Igualmente (mucho gusto).*

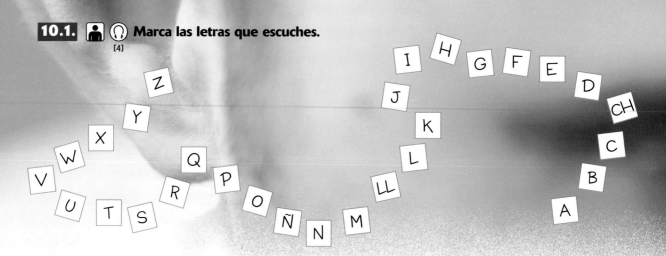

10 Repetimos

10.1. 👤 🎧 **Marca las letras que escuches.**
[4]

I H G F E D
J CH
Z K C
Y B
X L A
W Q LL
V R P
U T S O Ñ N M

10.2. 👤 🎧 **Escucha e identifica las palabras.**
[5]

quinto
café
agua   Guinea
cuántos   Francia
México   sueco
tango   España
Suiza   catalán
¿qué tal?   gallego
                    ingeniero
        cinco

10.3. 👤 🎧 **Escucha y escribe según el modelo.**
[6]

Ejemplo: Q U eso

1. fran ☐ és
2. portu ☐ ☐ és
3. Bél ☐ ica
4. sue ☐ as
5. Mé ☐ ico
6. on ☐ e
7. ☐ uatro

8. de ☐ ir
9. ☐ arabe
10. ☐ amón
11. ☐ igarro
12. ☐ apato
13. ☐ ueves
14. ☐ uante

10.4. 👤 🎧 **Primero lee, después escucha y relaciona.**
[7]

1 Alí y Nadia •
2 María José tiene •
3 Carlos y Ana •
4 ¿De dónde •
5 Juan y yo •
6 ¿Eres •
7 Se llama Jordi, •
8 Estos estudiantes •
9 El tango es •
10 ¿Vivís •

• a son de Egipto.
• b es Pietro?
• c somos informáticos.
• d estadounidense?
• e argentino.
• f 46 años.
• g son profesores.
• h en el centro de Madrid?
• i es catalán.
• j son rumanos.

11 Escucha

11.1. 🧑 📖 **Lee estas expresiones de supervivencia.**

1.
▷ Me llamo Maika y vivo en Valencia.
▶ *Más alto, por favor.*

2.
▷ *¿Cómo se escribe tu nombre?*
▶ Eme, a, i, ka, a.

3.
▷ Soy español de Sevilla.
▶ *Más despacio, por favor.*

4.
▷ Cua-der-no *¿Está bien así?*
▶ Sí, muy bien.

5.
▷ ¿Cómo te llamas?
▶ *¿Puedes repetir, por favor?*
▷ Que cómo te llamas.

6.
▷ *¿Cómo se dice hello en español?*
▶ *Hola*, se dice *hola*.

11.2. 🗣️ 🎧 **Escucha y reacciona con una expresión de supervivencia.**
[8]

1. ....
2. ....
3. ....
4. ....
5. ....
6. ....
7. ....

AUTOEVALUACIÓN

AUTOEVALUACIÓN   AUTOEVALUACIÓN   AUTOEVALUACIÓN

1. ¿Qué letras corresponden a sonidos diferentes en tu lengua? ¿Hay alguna letra que no exista?

   A   C   CH   E   G   I   J   LL   Ñ   R   U   V   Z

2. Señala qué información puedes dar ya en español.
   ☐ Tu nombre ☐ Tu profesión ☐ Tu edad ☐ Saludar y despedirte ☐ Contar ☐ Deletrear

3. Escribe diez palabras que has aprendido en clase.

4. ¿El español es fácil o difícil? ¿Es similar a tu lengua? ¿Qué palabras son similares?

5. ¿Hablas otras lenguas?

6. ¿Por qué estudias español?
   ☐ Motivación personal   ☐ Motivación profesional   ☐ Por la escuela

AUTOEVALUACIÓN   AUTOEVALUACIÓN   AUTOEVALUACIÓN

Unidad

2

Contenidos funcionales
- Preguntar y decir la dirección
- Pedir y dar información espacial: ubicar cosas y personas
- Describir objetos y lugares

Contenidos gramaticales
- Presentes regulares: *-ar/-er/-ir*
- Usos *tú/usted*
- Género y número en los sustantivos y adjetivos
- Uso de artículo determinado e indeterminado. Presencia y ausencia
- Interrogativos: *¿Dónde/Qué/Quién?*
- Contraste *hay/está-n*
- Locuciones prepositivas

Contenidos léxicos
- Objetos de clase, de escritorio y personales
- Los colores
- Léxico relacionado con las direcciones
- La casa: distribución y mobiliario

Contenidos culturales
- Formas de tratamiento en España
- La correspondencia

1 La clase

1.1. **Aquí tienes palabras relaciona-das con objetos de la clase y persona-les. Con tu compañero, buscad en cla-se los objetos y nombradlos.**

☐	• Un lápiz		☐	• Una silla
☐	• Un bolígrafo		☐	• Un cartel
☐	• Una goma		☐	• Una agenda
☐	• Un cuaderno		☐	• Una pizarra
☐	• Un libro		☐	• Una hoja
☐	• Un diccionario		☐	• Una mochila
☐	• Un borrador		☐	• Una mesa
☐	• Una papelera		☐	• Un radiocasete
☐	• Una puerta		☐	• Una carpeta

1.2. **Busca en el diccionario las pala-bras que todavía no conoces.**

1.3. **Ordena en estos dos cuadros las palabras nuevas.**

Mobiliario de clase   Objetos personales

1.4. **El ahorcado. Tu profesor te ex-plicará como jugar.**

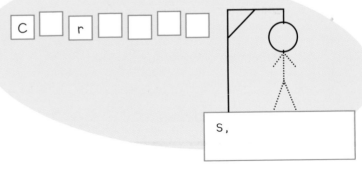

C [ ] r [ ] [ ] [ ] [ ]

S,

1.5. **Seguimos jugando.**

2 El presente

2.1. Escribe las palabras adecuadas para cada uno de los dibujos.

> Escribir • Tirar • Beber • Escuchar • Borrar • Mirar • Meter en
> Buscar • Abrir • Leer • Hablar • Completar • Comprender

1. ....   3. ....   5. ....   7. ....   9. ....

2. ....   4. ....   6. ....   8. ....   10. ....

2.2. Ahora, clasifica los verbos según su terminación.

En español los verbos
terminan en:

    -ar, tirar

    -er, leer

    -ir, abrir

-ar

-er

-ir

2.3. 🧍📝 **Completa el cuadro. Te damos todas las formas.**

leo • hablas • lee • habláis • leen • abre • habla • abrimos • abrís

	hablar	leer	abrir
Yo	hablo		abro
Tú		lees	abres
Usted	habla	lee	
Él, ella			abre
Nosotros/as	hablamos	leemos	
Vosotros/as		leéis	
Ustedes	hablan	leen	abren
Ellos, ellas	hablan		abren

2.4. 👥 📖 **Ahora comprueba.**

2.5. 👥 📝 **Relaciona los verbos del ejercicio 2.2. con las palabras del cuadro del ejercicio 1.1. y haz frases.**

Ejemplo: Escribir + bolígrafo ➪ *El bolígrafo escribe bien.*

2.6. 🧍🗨️ **Relaciona los verbos con los dibujos.**

- **1** Luis escucha la cinta.
- **2** Leéis los ejercicios.
- **3** Hablamos todos juntos.
- **4** Pregunto al profesor.
- **5** Los estudiantes escriben en el cuaderno.
- **6** Jugamos.
- **7** Trabajas con tu compañero.
- **8** Aprendéis gramática.

3

Tú o usted

3.1. 🧍📖 **Lee.**

🔍 Usamos **tú** con amigos y familia. Es informal.

Usamos **usted / ustedes** con gente que no conocemos, o en el trabajo, con superiores. Es formal.

3.2. 👤🎧 **Escucha los diálogos y clasifícalos en formal e informal.**
[9]

	formal	informal			formal	informal
diálogo 1	☐	☐		diálogo 3	☐	☐
diálogo 2	☐	☐		diálogo 4	☐	☐

4 El **género** y el **número**

4.1. 👥🔤 **Busca estas palabras en el diccionario y di si son masculinas o femeninas.**

	Masc.	Fem.		Masc.	Fem.		Masc.	Fem.
1. cartel	☐	☐	6. día	☐	☐	11. bolígrafo	☐	☐
2. mapa	☐	☐	7. madre	☐	☐	12. problema	☐	☐
3. carpeta	☐	☐	8. libro	☐	☐	13. calle	☐	☐
4. garaje	☐	☐	9. cuaderno	☐	☐	14. tema	☐	☐
5. pizarra	☐	☐	10. mano	☐	☐	15. lección	☐	☐

4.2. 👤📖 **Lee.**

El mar es **azul**.

Los árboles son **verdes**.

Las nubes son **blancas**.

Los tomates son **rojos**.

La noche es **negra**.

El humo es **gris**.

Los plátanos son **amarillos**.

	masculino	femenino
singular	El libro **blanco**	La casa **blanca**
	El libro **grande**	La casa **grande**
	El libro **azul**	La casa **azul**
plural	Los libros **blancos**	Las casas **blancas**
	Los libros **grandes**	Las casas **grandes**
	Los libros **azules**	Las casas **azules**

4.3. 👫 ✏️ **¿De qué color son estas cosas?**

Ejemplo: _La copa es azul._

1. ....

2. ....

3. ....

4. ....

5. ....

4.4. ✏️ 🎧 **Escucha las palabras y escríbelas en la columna correspondiente.**
[10]

masculino	**femenino**

4.5. 🧑 ✏️ **Completa el texto con las palabras del cuadro.**

> negra • alto • rojas • grande • extraño • antiguos • oscuras

En **la** clase 34 hay **una** mesa (1).................... para **el** profesor. Hay sillas (2)...................., **una** pizarra (3).................... y **un** mapamundi. En **la** clase 34 hay diecisiete estudiantes. **Los** estudiantes ahora no están en clase, porque son **las** 7 de la mañana. **Un** hombre (4)...................., (5).................... y con gafas (6)................... entra en la clase. **El** hombre está nervioso. Busca algo. Coge **unos** libros (7).................... de la librería y **unas** carpetas de plástico y sale deprisa...

4.6. 🧑 ✏️ **Ahora, con las palabras resaltadas, completa el cuadro.**

EL ARTÍCULO

	Masculino	Femenino
Singular	.... /	la / ....
Plural	.... / unos	.... / unas

Los artículos determinados **el/la/los/las** sirven para identificar y hablar de un objeto o ser que conocemos o del que ya hemos hablado.

– *Los estudiantes de mi grupo son simpáticos.*

Los artículos indeterminados **un/una/unos/unas** sirven para hablar de un objeto o ser por primera vez o cuando no queremos especificar.

– *En la clase hay una estudiante que se llama Paula.*

4.7. 🧑 ✏️ **Completa el texto con el artículo** *un, una, unos, unas.*

En la clase 117 hay (1)................ profesora que tiene (2)................ bolígrafo en (3)................ mano, y corrige (4)................ ejercicios de Gramática.

(5)................ estudiante tiene (6)................ problema con los artículos: (7)................, (8)................, (9)................ y (10)................ La profesora le dice: "Fíjate", (11)................ bolígrafo, (12)................ carpeta, (13)................ hojas y (14)................ libros.

5 ¿Dónde vives?

5.1. 🧑 ✏️ **Relaciona.**

1 Sr. •	• a primero
2 1.º •	• b señor
3 Sra. •	• c quinto
4 C/ •	• d remitente
5 Pza. •	• e número
6 Izda. •	• f derecha
7 5.º •	• g cuarto
8 @ •	• h arroba
9 P.º •	• i avenida
10 Avda. •	• j plaza
11 4.º •	• k calle
12 n.º •	• l segundo
13 3.º •	• m señora
14 Rte. •	• n tercero
15 2.º •	• ñ paseo
16 Dcha. •	• o izquierda

5.2. 🧑 📖 **Lee.**

Luis del Bosque Encantado
C/ Las Flores, n.º 4, 1.º A
28015 Madrid

Mónica Nerea Perea
Pza. Cervantes, n.º 20, 5.º izda.
47003 Valladolid

Eva Ramírez
Profesora de español

Avda. Parnaso, 15, 4.º dcha.
01005 Vitoria

Página 1 de 1

De: Charles Gates <cgates007@mixmail.com>
Para: Laura Toms <spanish@academico.es>
Fecha: jueves 14 octubre 2007 14:27

Hola, Laura, ¿qué tal?

5.3. 👥 💬 **Responde ahora a estas preguntas.**

1. ¿Dónde vive Luis del Bosque Encantado?
2. ¿En qué dirección vive Mónica?
3. ¿En qué número vive Eva?

4. ¿Quién escribe el e-mail? Escribe su dirección.
5. ¿Qué dirección de correo electrónico tiene Laura?

Preguntar y decir la dirección

– ¿**Dónde** + vivir?   – ¿**En qué** + calle/número/piso?

– Vivir **en**...

5.4. 👤 ✏️ **Relaciona.**

1	¿Quién escribe la carta?	•		•	**a**	En la C/ Sagasta
2	¿En qué calle vive Juan?	•		•	**b**	En Barcelona
3	¿Dónde viven tus padres?	•		•	**c**	Adolfo Fernández Ríos
4	¿Qué dirección de e-mail tiene tu profesor?	•		•	**d**	coso3@hotmail.com

· Para preguntar por un lugar usamos ¿**Dónde**...?
   – *¿Dónde vives?*

· Para preguntar por la identidad de cosas, acciones, palabras, etc., usamos ¿**Qué**...?
   – *¿Qué dirección de e-mail tienes?*

· Para preguntar por una persona usamos ¿**Quién**...?
   – *¿Quién eres?*

5.5. 👤 ✏️ **Escribe la información que tienes de Eva (ejercicio 5.2.).**

5.6. 👥 ✏️ **Ahora, pregunta a tu compañero su dirección en España y escríbela en el sobre. Escribe también tu remite en España.**

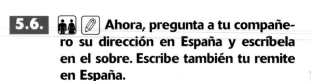

6 Michifú y la pecera
¿Dónde está Michifú?

Michifú está delante de la pecera.

Michifú está detrás de la pecera.

Michifú está encima de la pecera.

Michifú está debajo de la pecera.

Michifú está cerca de la pecera.

Michifú está lejos de la pecera.

Michifú está dentro de la pecera.

Michifú está fuera de la pecera.

Michifú está al lado de la pecera.

Michifú está entre la pecera y el reloj.

Michifú está a la izquierda de la pecera.

Michifú está a la derecha de la pecera.

de + el = del

*El gato está delante **del** reloj.*

a + el = al

*El gato está **al** lado de la pecera.*

6.1. 🚹 ✏️ **Completa con las letras que faltan.**

1. L ☐ ☐ ☐ S

2. ☐ ☐ N T ☐ ☐

3. F ☐ ☐ R ☐ / ☐ D ☐

4. A ☐ / ☐ L ☐ ☐ / I Z ☐ ☐ ☐ R ☐ ☐ / ☐ D ☐

5. A ☐ / ☐ L ☐ / D ☐ R ☐ ☐ ☐ / ☐ D ☐

6. ☐ N T ☐ ☐

7. D ☐ A ☐ ☐ ☐ / ☐ D ☐

8. ☐ ☐ T ☐ ☐ S / ☐ D ☐

6.2. 🚹 ✏️ **Relaciona la palabra con el objeto.**

■ La estantería

■ Las bandejas

■ La silla

■ El bote de los lápices

■ El ordenador

■ La lámpara

■ El teléfono

■ El escritorio

6.2.1. 🚹 🗨️ **Con tu compañero, sitúa los objetos del dibujo.**

Ejemplo: *El ordenador está encima de la mesa.*

6.3. 👤 📖 **Lee.**

Mi habitación favorita es el estudio. Es una habitación amplia y luminosa. En el suelo **hay** una alfombra turca. Tengo una mesa grande de madera. La ventana **está** a la derecha de la mesa. Encima de la mesa siempre **hay** muchas cosas: papeles, bolígrafos, revistas, libros. Los periódicos **están** siempre en la cajonera. El ordenador **está** en un mueble especial, a la izquierda de la mesa. Al lado del ordenador **hay** una librería y cerca de la librería, exactamente entre la librería y la puerta, **hay** una planta verde y enorme.

6.3.1. 👫 ✏️ **Con tu compañero, dibuja el plano del estudio.**

6.3.2. 👫 ✏️ **Escribe en la tabla la forma verbal adecuada y busca los ejemplos en el texto 6.3.**

> están • hay • está

1	2	3
• Se usa para hablar de la existencia de algo o de alguien.	• Se usa para localizar o situar una cosa o a una persona en un lugar.	• Se usa para localizar o situar varias cosas o a varias personas en un lugar.
• Habla de una cosa o de una persona desconocida.	• Se usa: **el/la** + nombre + verbo.	• Se usa: **los/las** + nombre + verbo.
• Se usa: verbo + **un/una** + nombre.	• Se refiere solo a una cosa en singular o a una persona.	• Se refiere a cosas o personas en plural.
• Cuando la palabra es plural no lleva artículo generalmente: verbo + palabra en plural.		
• Tiene una sola forma para singular y plural.		
Ejemplos:	**Ejemplos:**	**Ejemplos:**

6.4. 👫 ✏️ **Con tu compañero, escribe cinco cosas que hay en tu clase y cinco que no hay.**

Ejemplo: *En la clase hay una pizarra, pero no hay vídeos musicales.*

6.4.1. 👤 ✏️ **Ahora, escribe dónde están las cosas que hay.**

Ejemplo: *La pizarra está detrás de la mesa del profesor.*

7 La **casa**

7.1. Aquí tienes cuatro habitaciones de una casa. Señala cuál es la cocina, el salón, el dormitorio y el cuarto de baño.

7.2. Con tu compañero clasifica las palabras por habitaciones. Puedes usar el diccionario.

> sofá • lavadora • cama • lavabo • bañera • sillón
> mesilla de noche • inodoro • almohada • pila • frigorífico

Salón	Cocina	Dormitorio	Cuarto de baño

7.2.1. Piensa en una cosa que hay en las habitaciones de los dibujos. Tus compañeros te hacen preguntas hasta adivinar qué es. Solo puedes decir, sí o no.

Ejemplo: ▷ *¿Está en el baño?*

▶ *Sí.*

▷ *¿Está al lado del lavabo?*

▶ *No.*

7.3. 👤 🎧 **Ahora, clasifica las palabras que escuches. Algunas las puedes clasificar en más**
[11] **de un apartado.**

Salón	Dormitorio	Baño	Cocina	Estudio

7.4. 👤 🎧 **Escucha esta canción titulada** *Nuestro cuarto* **y marca con un círculo los nombres**
[12] **de los muebles y objetos que escuches.**

- cama
- ventana
- armario
- cuadro
- sofá

- mesilla
- cómoda
- lámpara
- alfombra
- espejo

7.5. 🔷 🟡 **Veo, veo.**

8 Repetimos

8.1. 🔷 **Buscando al compañero de piso ideal.**

8.2. 🎧 **Señala con una X la frase que escuches.**
[13]

1. Vives en una casa grande.
2. ¿Vives en una casa grande?
3. La escuela está cerca del metro.
4. ¿La escuela está cerca del metro?
5. No tienes diccionario.
6. ¿No tienes diccionario?
7. Está a la derecha del armario.

8. ¿Está a la derecha del armario?
9. Tenemos muchos ejercicios para casa.
10. ¿Tenemos muchos ejercicios para casa?
11. Son alemanes.
12. ¿Son alemanes?
13. Tienes un bolígrafo azul.
14. ¿Tienes un bolígrafo azul?

AUTOEVALUACIÓN

1. Relaciona: Colores • La casa • La clase

Goma   Pizarra
Libro   Bolígrafo
Carpeta   Lápiz
Cuaderno

Espejo   Cama
Bañera   Sillón
Sofá   Horno
Dormitorio

Rojo   Amarillo
Morado   Negro
Azul   Verde

🔍 Es más fácil aprender palabras si las relacionas y las agrupas.

2. Tengo problemas con:

☐ Hay, está/están   ☐ Los cambios de género y número: *El cartel rojo, los carteles rojos*

Las palabras, porque:

☐ No las comprendo   ☐ Necesito el diccionario constantemente   ☐ No puedo pronunciarlas

☐ No puedo recordarlas. Son difíciles   ☐ Son muchas palabras nuevas

Unidad

3

Contenidos funcionales
- Describir personas
- Expresar posesión
- Describir prendas de vestir

Contenidos gramaticales
- Adjetivos calificativos
- Adjetivos posesivos
- *Ser, tener, llevar*
- Concordancia adjetivo-sustantivo

Contenidos léxicos
- La familia
- La ropa
- El aspecto físico

Contenidos culturales
- La Familia Real española

1 ¿Cómo es...?

1.1. **Lee.**

Se llama Felipe. Es joven, alto, delgado y atractivo. Felipe tiene los ojos claros y grandes. Tiene el pelo corto. Es simpático, sencillo y agradable.

1.2. Subraya los verbos del texto.

1.3. Completa el cuadro.

Es	Tiene
Es joven.	Tiene los ojos claros.

Cuando decimos cómo es una persona, usamos *ser* + **adjetivo** y *tener* + **nombre**.
Ejemplo:
Es alto.
Tiene los ojos claros.

1.4.  **Relaciona.**

1 Es alto	•	• a No tiene pelo
2 Es calvo	•	• b Pesa 112 kilos
3 Es gordo	•	• c Tiene 18 años
4 Es joven	•	• d Juega al baloncesto

1.5. 🔲 ✏️ **Completa con las palabras del cuadro.**

calvo
fuertes
altas
morena
jóvenes
rubio
gordos

2. ....

1. ....

4. ....

5. ....

6. ....

3. ....

7. ....

1.6. 🔲 🎧 **Escucha y comprueba.**
[14]

1.7. 👥 🔤 **¿Qué significan estas palabras? Preguntad al profesor o usad el diccionario.**

1. simpático ≠ antipático

2. tranquilo ≠ nervioso

3. callado ≠ hablador

4. tonto ≠ inteligente

5. aburrido ≠ interesante

6. serio ≠ gracioso

7. vago ≠ trabajador

1.8. 🔲 📖 **Lee.**

Tiene barba   Tiene bigote   Tiene los ojos verdes   Tiene el pelo liso   Tiene el pelo corto

1.9. 👥 💬 **Piensa en una persona de la clase y di cómo es físicamente y qué carácter tiene, sin decir su nombre. Tus compañeros van a adivinar quién es.**

Es:	Es:	Tiene los ojos:	Tiene el pelo:
☐ Moreno	☐ Simpático	☐ Oscuros	☐ Liso
☐ Fuerte	☐ Serio	☐ Verdes	☐ Rizado
☐ Alto	☐ Hablador	☐ Grandes	☐ Largo
☐	☐	☐	☐ ....

2 La **familia**

2.1. ⬛⬛ ⬛ **¿Recuerdas a Felipe? Esta es su familia.**

Jaime   Elena   Letizia   Felipe   Sofía   Juan Carlos   Cristina   Iñaki

La familia de Felipe es grande. Su **madre** se llama Sofía y su **padre** Juan Carlos. Felipe tiene dos **hermanas**: Elena y Cristina. El **marido** de Elena se llama Jaime. Elena y Jaime tienen dos **hijos**. Su **hijo** mayor se llama Froilán y su **hija** pequeña Victoria. Cristina también está casada. Cristina es la **mujer** de Iñaki. Iñaki y Cristina tienen cuatro **hijos**. Su **hijo** mayor se llama Juan, el segundo Pablo, el tercero Miguel y la cuarta, Irene. Froilán y Juan son **nietos** de Sofía y Juan Carlos, así que Sofía y Juan Carlos son los **abuelos** de Froilán y Juan. Felipe quiere mucho a sus **sobrinos**, los hijos de Elena y Cristina. La **esposa** de Felipe se llama Letizia y tienen dos hijas, Leonor y Sofía. Además, Felipe es el **tío** favorito de Froilán y Juan.

2.2 ⬛⬛ ⬛ **Con tu compañero, completa el árbol genealógico de la Familia Real española.**

Fíjate también:
- Iñaki es el cuñado de Felipe y Elena.
- Sofía y Juan Carlos son los suegros de Jaime.
- Froilán es primo de Juan.
- Iñaki y Jaime son yernos de Sofía y Juan Carlos.

2.3. ⬛ ⬛ **¿Quién es? Vamos a jugar con los miembros de la Familia Real.**

3. Mi familia, tu familia, su familia... Los posesivos

3.1. 👤 ✏️ **Antes de leer, mira la foto de la actividad 3.1.1. y responde a estas preguntas. Después, lee el texto y comprueba tus respuestas.**

Antes de leer		Después de leer
1.	¿Cómo se llaman los padres de Boy?	1.
2.	¿Dónde vive la familia Tarzán?	2.
3.	¿Cómo es Tarzán?	3.
4.	¿Cómo es Jane?	4.
5.	¿Por qué no lleva pantalones el padre de Boy?	5.
6.	¿Qué toma la familia Tarzán en el desayuno?	6.

3.1.1. 👤 📖 **Lee y escribe la información. Después comprueba tus respuestas.**

Mi padre se llama Tarzán y mi madre es Jane. Mi nombre es Boy. Vivimos los tres en África. Mi padre es muy fuerte y mi madre muy buena. Mi padre no lleva pantalones porque hace calor. A nosotros nos gustan mucho los animales. Todos los días desayunamos fruta, mi mamá dice que es muy buena para la salud. Mi padre trabaja de..., bueno, él cuida la selva. Es ecologista y no le gusta la gente que corta árboles y mata animales. Y, bueno, no sé qué más contar.

3.2. 👤 ✏️ **Ayúdanos a completar el cuadro.**

Los adjetivos posesivos

Tener una cosa		Tener dos o más cosas	
masculino	**femenino**	**masculino**	**femenino**
	Mi casa	**Mis** coches	**Mis** casas
Tu coche		**Tus** coches	
Su coche	**Su** casa	**Sus** coches	**Sus** casas
Nuestro coche			**Nuestras** casas
	Vuestra casa	**Vuestros** coches	
Su coche		**Sus** coches	**Sus** casas

En español el adjetivo posesivo (*mi, tu, su...*) tiene el mismo género y el mismo número que el objeto poseído:

El coche ➡ *nuestro* coche.

Las vacas ➡ *nuestras* vacas.

3.3. [icon] [icon] Recuerda la actividad 3.1. y escribe un texto sobre tu familia.

3.4. [icon] [icon] Vas a escuchar a dos personas hablando de alguien. Marca el dibujo al que
[15] corresponde la descripción.

3.4.1. [icon] [icon] Ahora, vuelve a escuchar y toma notas sobre la descripción.
[15]

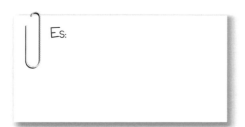

Es:

Tiene:

3.5. [icon] [icon] Con una foto de tu familia o de algún amigo, describe cómo es o cómo son.

4 La **ropa**

4.1. 👥 🅰️🅱️ **Escribe el precio en la etiqueta.**

- La **falda** cuesta 20 euros con 15.
- Los **pantalones** cuestan 100 euros.
- Las **gafas** cuestan 30 euros.
- La **camiseta** son 12 euros con 20.
- El **vestido** cuesta 50 euros.

- La **chaqueta** cuesta 85 euros.
- Las **sandalias** cuestan 15 euros.
- El **cinturón** de piel son 22 euros.
- El **biquini** cuesta 18 euros con 50.
- Los **calcetines** cuestan 8 euros con 75.

Ejemplo:

20,15 €

4.2. 👤 🎧 [16] **Julián y Rosario son muy desordenados. Hoy hacen limpieza y recogen su ropa. Escucha y marca con 1 las cosas de Julián y con 2 las de Rosario.**

- ☐ El jersey azul.
- ☐ Los pantalones vaqueros.
- ☐ La ropa interior.
- ☐ El abrigo de cuero.
- ☐ Los calzoncillos.
- ☐ La camisa de seda.
- ☐ El pijama.
- ☐ Los calcetines.
- ☐ Los zapatos.

4.3.  **Lee.**

4.4. Buscad en el diálogo las palabras opuestas a las siguientes.

1. Incómoda ≠ [   ]   3. Pequeña ≠ [   ]

2. Cortas ≠ [   ]   4. Ancha ≠ [   ]

Presente

Llevar				Tener			
Yo	**llevo**	Nosotros/as	**llevamos**	Yo	**tengo**	Nosotros/as	**tenemos**
Tú	**llevas**	Vosotros/as	**llevais**	Tú	**tienes**	Vosotros/as	**tenéis**
Él/ella	**lleva**	Ellos/ellas	**llevan**	Él/ella	**tiene**	Ellos/ellas	**tienen**
Usted	**lleva**	Ustedes	**llevan**	Usted	**tiene**	Ustedes	**tienen**

- **Ejemplo:**
  ▶ *Yo llevo hoy una camisa negra.*

- **Ejemplo:**
  ▶ *Yo tengo muchas camisas en casa.*

4.5. Escribe ahora la diferencia de uso entre el verbo *llevar* y *tener*.

....

....

4.6.

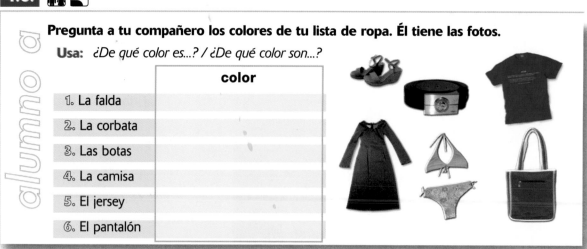

alumno a

Pregunta a tu compañero los colores de tu lista de ropa. Él tiene las fotos.

Usa: *¿De qué color es...? / ¿De qué color son...?*

	color
1. La falda	
2. La corbata	
3. Las botas	
4. La camisa	
5. El jersey	
6. El pantalón	

CONTINÚA ••••••

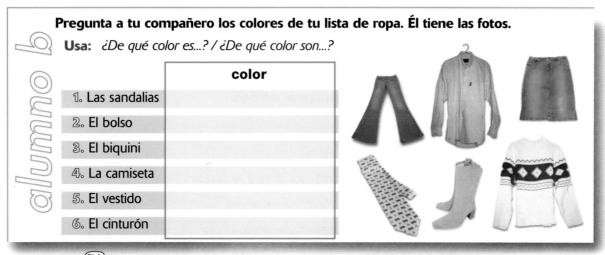

Pregunta a tu compañero los colores de tu lista de ropa. Él tiene las fotos.

alumno b

Usa: *¿De qué color es...? / ¿De qué color son...?*

	color
1. Las sandalias	
2. El bolso	
3. El biquini	
4. La camiseta	
5. El vestido	
6. El cinturón	

4.7. 🔳 **Mira las fotografías y di cómo son físicamente y qué ropa llevan.**

4.7.1. 🔳 **Ahora, explica a tus compañeros cómo es el carácter de una de estas personas basándote en su aspecto físico y su ropa. Como no puedes estar completamente seguro, usa** *creo que / parece que...* **Tus compañeros tienen que adivinar de quién hablas.**

Ejemplo: ▷ *Creo que es una persona amable, tímida...*

4.8. 🔳 🎧 **Vas a escuchar cinco informaciones sobre cinco tipos de ropa. ¿De qué prenda** [17] **hablan?**

A
☐ Una falda
☐ Unas sandalias
☐ Un pantalón

B
☐ Una corbata
☐ Un jersey
☐ Unos zapatos

C
☐ Un traje
☐ Unas mochilas
☐ Unos calzoncillos

D
☐ Unas camisetas
☐ Una chaqueta
☐ Una falda

E
☐ Una bufanda
☐ Unos calcetines
☐ Un vestido

4.9. Piensa en tres prendas de ropa básicas para ti. Tus compañeros, mediante preguntas, las van a adivinar y después vas a explicar por qué son importantes para ti.

4.10. Con tu compañero, reconstruye el diálogo.

1. ¿Qué talla tiene?	**7.** ¿Esta?
2. Buenos días.	**8.** Pues no sé, fácil de combinar, azul o negro.
3. Quería una falda para mi madre.	**9.** Muy bien. ¿Cuánto es?
4. Una 42, pero ahora está un poco más delgada... no sé.	**10.** Sí, esta es perfecta. Si hay problemas, ¿puedo cambiarla?
5. 40 euros.	**11.** Claro, con el ticket de compra.
6. Buenos días, señora, ¿en qué puedo ayudarla?	**12.** Bueno, ¿y de qué color?

1. **Señora:** ....
2. **Dependienta:** ....
3. **Señora:** ....
4. **Dependienta:** ....
5. **Señora:** ....
6. **Dependienta:** ....
7. **Señora:** ....
8. **Dependienta:** ....
9. **Señora:** ....
10. **Dependienta:** ....
11. **Señora:** ....
12. **Dependienta:** ....

4.10.1. Escucha y comprueba.
[18]

4.11. Escucha y responde a las preguntas.
[19]

1. ¿En qué página de esta unidad están Eulalia y Roberto?

2. Para describir a personas usamos los verbos *ser* y *tener.* ¿Qué verbo usamos para describir la ropa y los complementos que usan?

4.11.1. Vuelve a escuchar y anota la información sobre Eulalia y Roberto, ¿cómo son?, [19] ¿qué ropa llevan?

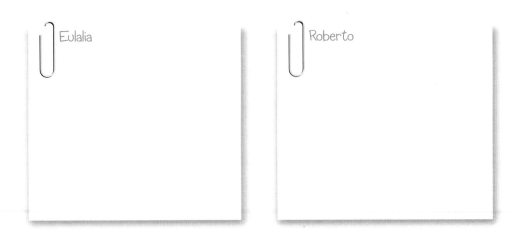

Eulalia

Roberto

4.11.2. Completa los datos con tu compañero.

4.12. 🎧 **Marca las palabras que escuches.**
[20]

1. Calvo
2. Cuatro
3. Chaqueta
4. Zapato
5. Zueco
6. Camisa
7. Cero
8. Cigarro
9. Azul
10. Cuello
11. Boca
12. Cinturón
13. Corto
14. Rizado
15. Pequeño

En español la letra **"c"** tiene diferente pronunciación según la vocal que acompañe:

[k] c+a *calvo*   pero   qu+e *pequeño*
     c+o *corto*   qu+i *tranquilo*
     c+u *curso*

[θ] c+e *cero*   pero   z+a *rizado*
     c+i *cinco*   z+o *zorro*
                           z+u *zurdo*

AUTOEVALUACIÓN   AUTOEVALUACIÓN   AUTOEVALUACIÓN

1. Recuerda que para describir a una persona usamos:

• *Ser* + adjetivo

• *Tener* + nombre

• *Llevar* + prenda de vestir

Puedes poner un ejemplo de cada uso:

• ....

• ....

• ....

2. 🎧 Escucha y escribe en la columna correspondiente:
[21]

La ropa	La familia	El cuerpo

Recuerda que para aprender palabras mejor, hay que agruparlas y asociarlas.

3. En esta unidad hay muchas palabras nuevas. ¿Qué haces para aprenderlas?

☐ Escribo listas de palabras en mi cuaderno

☐ Repito mentalmente las palabras

☐ Intento aprender las más similares a mi lengua

☐ En tarjetas, escribo por un lado la palabra en español y por otro la traducción a mi lengua

4. Este libro es:

☐ Muy rápido   ☐ Fácil

☐ Aburrido   ☐ Difícil

☐ Interesante

5. En clase de español:

☐ Estoy bien

☐ Tengo que estudiar mucho

☐ No tengo suficientes ejercicios

AUTOEVALUACIÓN   AUTOEVALUACIÓN   AUTOEVALUACIÓN

Unidad 4

Contenidos funcionales
- Expresar necesidades, deseos y preferencias
- Pedir y dar información espacial

Contenidos gramaticales
- Uso de los comparativos: igualdad, superioridad e inferioridad con adjetivos
- Comparativos irregulares
- Verbos: *necesitar, querer, preferir* + infinitivo/sustantivo
- Preposiciones *en* y *a* con verbos de movimiento
- *Porque* y *para*

Contenidos léxicos
- Transportes
- Establecimientos comerciales y de ocio

Contenidos culturales
- El transporte en España
- La fiesta de los Reyes Magos

1 Los medios de transporte

1.1. Óscar no conoce Madrid muy bien, pero tiene que viajar. Como quiere ir a la estación de tren y prefiere el transporte público, pregunta a su amigo Paco. Primero, lee con tu compañero estos diálogos y ordena las viñetas.

1.1.1. **Ahora, escucha y comprueba.**
[22]

1.2. [icons] **Relaciona los nombres con los dibujos. A ver cuántos nombres de medios de transporte conoces.**

el tren ●

el avión ●

el barco ●

la bicicleta ●

el coche ●

el autobús ●

1.2.1. [icons] **¿Conoces otros medios de transporte?**

1.2.2. [icons] **Pregunta a tu compañero.**

¿Cómo vas a la escuela?

☐ En metro   ☐ Andando   ☐ En bicicleta

☐ En autobús   ☐ En avión   ☐ A caballo

¿Cómo vas a casa de tu familia?

¿Cómo ....?

Ir

El verbo *ir* es irregular

Yo	**voy**	Nosotros/as	**vamos**
Tú	**vas**	Vosotros/as	**vais**
Él/ella/usted	**va**	Ellos/ellas/ustedes	**van**

- La dirección se marca con la preposición **a**:
  *Vamos **a** la playa.*
- El medio de transporte se marca con la preposición **en** (excepto: *a pie, a caballo*):
  *Voy **en** coche.*

1.2.3. [icons] **Completa con el verbo *ir* + *a/en*.**

1. Mi padre y yo .... bicicleta.

2. Pedro .... siempre .... pie.

3. Cuando estoy en la finca, ... caballo.

4. ¿Cómo .... ustedes .... trabajar? ¿.................. tren, ... autobús o .... pie?

5. ▶ ¿Dónde .... (tú)?
   ▷ .... la piscina.

1.3. 👥 📝 **Mira la siguiente lista de adjetivos. Todos pueden relacionarse con medios de transporte. Busca en el diccionario o pregunta a tu compañero los significados que no conozcas y luego clasifícalos.**

- Ecológico
- Rápido
- Lento
- Limpio

- Caro
- Peligroso
- Divertido
- Cansado

- Práctico
- Interesante
- Seguro
- Cómodo

- Económico
- Puntual
- Contaminante
- Barato

Positivos

Negativos

1.4. 👥 🗨 **Habla con tu compañero de las ventajas e inconvenientes de los medios de transporte.**

Ejemplo: *El avión es rápido, pero es muy contaminante.*

2 La comparación

2.1. 👥 📖 **Lee esta información. ¿Estás de acuerdo?**

Yo prefiero viajar en barco porque es más seguro que el avión. También es más romántico. El problema es que el barco es más lento que el avión, pero como ahora estoy jubilado (ya no trabajo), pues no necesito llegar en pocas horas a mi destino.

Comparativos

Comparativos regulares

- **más** + adjetivo + **que**:

  *Viajar en avión es **más** caro **que** viajar en tren.*

- **menos** + adjetivo + **que**:

  *Ir en autobús es **menos** ecológico **que** en bicicleta.*

- **tan** + adjetivo + **como**:

  *Mi hermana es **tan** alta **como** tu hermana.*

Comparativos irregulares

- **bueno/a/os/as:**
  mejor/mejores + **que**

- **malo/a/os/as:**
  peor/peores + **que**

- **grande/s:**
  mayor/mayores + **que**

- **pequeño/a/os/as:**
  menor/menores + **que**

2.2. 👥 ✏️ **Compara los medios de transporte.**

Ejemplo: *Viajar en avión es **más** rápido **que** viajar en autobús.*

2.3. 👥 💬 **Ahora, cuéntale a tu compañero cuál es tu transporte favorito y por qué.**

Ejemplo: *Prefiero viajar en... porque...*

Prefiero el barco/tren porque...

3 Expresar necesidades o intereses

Necesitar	Querer	Preferir
necesito	quiero	prefiero
necesitas	quieres	prefieres
necesita	quiere	prefiere
necesitamos	queremos	preferimos
necesitáis	queréis	preferís
necesitan	quieren	prefieren

- Necesitar + **infinitivo**:
  Necesito ir a la estación.
- Necesitar + **sustantivo**:
  Necesito un abono de transporte.

- Querer + **infinitivo**:
  Quiero comprar una rosa.
- Querer + **sustantivo**:
  Quiero una rosa.

- Preferir + **infinitivo**:
  Prefiero comer pescado.
- Preferir + **sustantivo**:
  Prefiero pescado.

3.1. 🧑 🔤 **A continuación, tienes una lista de "cosas" más o menos necesarias para viajar. ¿Puedes añadir tres más? Tu diccionario puede ayudarte.**

Pasaporte ✓
Dinero ✓
Tener vacaciones ✓
Comprar una guía ✓
Avisar a la familia ✓
Una maleta ✓
.... ✓
.... ✓
.... ✓

3.1.1. 🧑🧑 💬 **Ahora, dile a tu compañero qué necesitas y qué no de esa lista. ¿Estáis de acuerdo? ¿Necesitáis lo mismo?**

Ejemplo: *Para viajar, yo necesito tener vacaciones, al menos dos o tres días. También necesito avisar a mi familia, pero normalmente no necesito pasaporte, porque viajo por mi país.*

4 Algo más sobre los transportes

4.1. 🧑 📖 **Lee este texto y pregunta qué significa lo que no entiendes.**

El transporte en España

La mayoría de los españoles usa el coche para ir al trabajo. Sin embargo, en las grandes ciudades como Madrid y Barcelona, las personas utilizan los medios de transporte públicos (metro, autobús y trenes de cercanías). Así hay menos atascos en las carreteras y la gente llega antes a su destino. Son cuatro las ciudades con metro: Madrid, Barcelona, Valencia y Bilbao. En España hay muy pocas ciudades con carriles especiales para la bicicleta, solo en el País Vasco es frecuente ver a personas con la "bici" por las calles. Para viajar de ciudad a ciudad, se utiliza el tren con mucha frecuencia.

4.1.1. 🧑 ✏️ **Ahora escribe un pequeño texto acerca del transporte en tu país.**

....

....

....

4.2. 🧑 ✏️ **Observa este billete.**

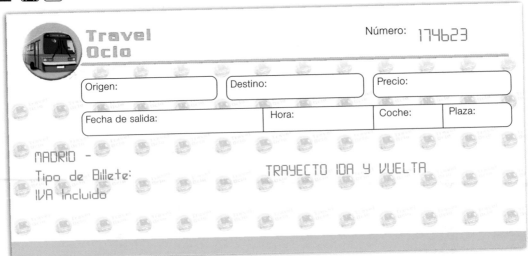

Travel Ocio

Número: 174623

Origen:

Destino:

Precio:

Fecha de salida:

Hora:

Coche:

Plaza:

MADRID -
Tipo de Billete:
IVA Incluido

TRAYECTO IDA Y VUELTA

4.2.1.  [icons] **Lee este diálogo y completa los datos del billete que aparecen en blanco.**

(En la estación)

▶ *Hola, buenos días.*

▷ *Buenos días, dígame.*

▶ *Mire, necesito información sobre los trenes de Madrid a Valladolid.*

▷ *¿Para qué día?*

▶ *Para el 17 de septiembre.*

▷ *Hay un tren que sale a las 9:30 horas y llega a las 11:30 horas de la mañana.*

▶ *¿Hay alguno por la tarde?*

▷ *Sí, hay uno que sale a las 16:30 horas y llega a Valladolid a las 19:30 horas.*

▶ *Sí, ese es el que me interesa. ¿Puedo reservar una plaza?*

▷ *Sí, claro. ¿Ida y vuelta?*

▶ *Sí.*

▷ *Bien, este es el billete. Es el coche 13 y el asiento 35.*

▶ *¿Cuánto es?*

▷ *Son 9 euros con 50.*

▶ *Aquí tiene, muchas gracias.*

▷ *A usted.*

4.3. [icons] **Rellena esta solicitud con tus datos personales para solicitar el abono mensual de transporte.**

ABONO ★★★★ TRANSPORTES
SOLICITUD TARJETA ABONO MENSUAL

DATOS A RELLENAR POR EL SOLICITANTE   9360635

TIPO DE ABONO: NORMAL ☐   JOVEN ☐   TERCERA EDAD ☐

ZONA-LÍMITE DE VALIDEZ: A ☐   B1 ☐   B2 ☐   B3 ☐   C1 ☐   C2 ☐

(lateral izquierdo: ENTREGAR EN EL ESTANCO)

Nombre _____

Apellido 1 _____

Apellido 2 _____

Fecha de Nacimiento _____

D.N.I. o pasaporte _____

Dirección _____

_____   Teléfono _____

C. Postal _____   Municipio _____

RECUERDE:
ACOMPAÑE UNA FOTOGRAFÍA Y PONGA DETRÁS SU NOMBRE Y APELLIDOS

NO FIJE LA FOTOGRAFÍA

Recogida tarjeta: Estanco ☐   Correo ☐

Causas por las que se solicita la tarjeta

Primera vez ☐   Deterioro ☐   Extravío o robo ☐   Cambio tipo Abono ☐   Otras ☐

Fecha solicitud _____

FIRMA DEL SOLICITANTE

DATOS A RELLENAR POR:
  EL CONSORCIO:
Tarjeta código _____
  LA OFICINA EXPENDEDORA:
Punto de venta núm. _____

POR FAVOR, LEA LAS INSTRUCCIONES Y RELLENE LA SOLICITUD CON LETRA MAYÚSCULA

4.4. 👥 ✏️ **En la estación de tren. Jan viaja a Sevilla. Reconstruye el diálogo.**

– Quería un billete.	– ¿Ventanilla o pasillo?
– ¿A qué hora?	– ¿Para qué día?
– ¿Fumador o no fumador?	– ¿Asiento? ¿Litera?

▶ Buenas tardes. Quería un billete para Sevilla.

▷ ....

▶ Para el próximo miércoles.

▷ ....

▶ A las once de la noche.

▷ ....

▶ Asiento.

▷ ....

▶ Pasillo.

▷ ....

▶ No fumador.

▷ Bien, son 18 euros con 50 céntimos.

4.4.1. 🧑 🎧 **Ahora, escucha y comprueba.**
[23]

4.5. 👥 💬 **Practica el diálogo anterior. Te damos otros datos. No mires la información de tu compañero. Antes de empezar, lee tu tarjeta. ¿Entiendes todas las palabras? ¿No? Pregunta a tu profesor.**

alumno a

- Estás en la estación de tren.
- Quieres viajar a Barcelona.
- Quieres ir el viernes y volver el domingo.
- Prefieres viajar de noche.
- Quieres litera.
- No fumas.

alumno b

- Trabajas en la estación de trenes.
- Hay trenes para Barcelona a las 9 de la mañana, a las 13 horas y a las 21:30 horas.
- El viajero puede elegir entre asiento y litera.
- Estos trenes tienen coches de fumador y no fumador.
- El precio de ida son 20 euros con 75 céntimos.
- El precio de ida y vuelta son 35 euros con 50 céntimos.

5 Un poco de **buena pronunciación**

5.1. 🧑 🎧 **Escucha y completa con la letra que falta.**
[24]

1. Ciu☐ad
2. A☐osto
3. Vi☐ir
4. Ju☐ar
5. Be☐er
6. Ciento☐os
7. Verda☐ero
8. A☐eni☐a
9. ¿Qué ☐ía es hoy?
10. A☐o☐a☐o

5.2. 👥 ✏️ **Ahora, por parejas: Alumno A, elige cinco palabras y díctaselas a tu compañero. Alumno B, escribe las palabras que tu compañero te dicta.**

1. ....
2. ....
3. ....
4. ....
5. ....

6 La ciudad

6.1. 👥 ✏️ **Fíjate en los dibujos. Con tu compañero completa las tarjetas con el nombre de los objetos y tiendas que representan. Luego relaciónalos.**

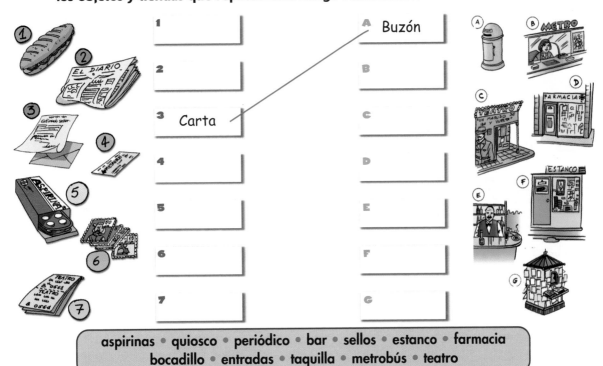

1 _____   A Buzón

2 _____   B _____

3 Carta   C _____

4 _____   D _____

5 _____   E _____

6 _____   F _____

7 _____   G _____

> aspirinas • quiosco • periódico • bar • sellos • estanco • farmacia
> bocadillo • entradas • taquilla • metrobús • teatro

6.1.1. 👤 ✏️ **Ahora relaciona las frases.**

1 Voy al estanco •   • a comprar aspirinas.
2 Necesito un buzón •   • b necesito unos sellos para Francia.
3 Entramos en el bar •   • c leer las últimas noticias.
4 Marisa va a la taquilla •   • d comprar un metrobús.
5 Vas a la farmacia •   • e sacar las entradas?
6 Quiero un periódico •   • f queremos unos bocadillos.
7 ¿Necesito ir al teatro •   • g enviar esta carta.

(porque / para)

6.1.2. 👥 🗨️(BLA) **¿Conocéis otros nombres de tiendas en español?**

6.2. 👤 🎧 **Escucha y toma notas.**
[25]

Diálogo **1.** ¿Dónde está el quiosco?
Diálogo **2.** ¿Dónde está la comisaría?
Diálogo **3.** ¿Dónde está el banco?

6.2.1. 👤 🎧 **Vuelve a escuchar el diálogo 1 y pon debajo de cada signo la expresión correspondiente.**
[25]

S i □ □ □   t □ □ □   G □ □ □ s a   G □ □ □ s a l a
r □ □ □ o   l a d □ □ □ □ h   i z □ □ □ □ □ □ d

6.2.2. 🎧 [25] 👤 **Vuelve a escuchar los diálogos 2 y 3 y completa.**

2
▷ Perdona, oye,......................... ¿................... ....
dónde hay una comisaría por ....?

► Pues, no sé, lo siento. No soy de la ciudad.

▷ Ah, vaya, ..., eh.

3
▷ Perdone, por favor, ¿...........................Santander?

► Un momento... Sí, mire. Está muy cerca. Siga todo recto y
allí, en la esquina, a cien metros. ....
.... la boca del metro.

▷ Muchas gracias.

6.2.3. **¿Qué diálogo es formal (usted)?**

7 Pedir y dar información espacial

Pedir información espacial

- **Usted**

  ► Perdone, ¿puede decirme dónde...?

  ► Oiga, por favor, ¿dónde... hay/está(n)...?

- **Tú**

  ► Perdona, ¿dónde...?

  ► Oye, por favor, ¿puedes decirme...?

Dar información espacial

- **Usted**

  ▷ Sí, claro, mire...

- **Tú**

  ▷ Sí, claro, mira...

  ▷ Está cerca/lejos/al lado de/a la derecha/a la izquierda...

  ▷ Hay + un/a/os/as + nombre + cerca/lejos...

  ► Vale, gracias.

  ► Muchas gracias.

7.1. 👥 💬(BLA) **Mira estos planos. Hay muchos lugares, pero te falta información. Complétala con tu compañero.**

Pregunta a tu compañero dónde hay:

- Un estanco
- Una peluquería
- Un cine
- Un quiosco

alumno a

CONTINÚA ⬥⬥⬥▶

alumno b

Pregunta a tu compañero dónde hay:

- ■ Un teatro
- ■ Un supermercado
- ■ Un banco
- ■ Un videoclub

AUTOEVALUACIÓN

1. Escribe una lista de los contenidos de esta unidad. Luego subraya los que son nuevos.

- • ....
  ....
- • ....
  ....
- • ....
  ....
- • ....
  ....
- • ....
  ....
- • ....
  ....

2. Esta unidad te parece:

☐ Muy interesante   ☐ Aburrida

☐ Interesante   ☐ Útil

☐ Normal   ☐ Práctica

> Hay que relacionar lo que aprendemos. Fíjate:
>
> Unidad 2: La casa.
> *En el dormitorio **hay una** cama.*
> *La mesa está **delante del** sofá.*
>
> Unidad 4: La ciudad.
> *¿Dónde **hay una** farmacia?*
> *El cine está **enfrente de** la panadería.*

3. Escribe seis palabras nuevas

1. ....   4. ....
2. ....   5. ....
3. ....   6. ....

1 ¿Qué haces **normalmente**?

1.1.  **Ordena estos dibujos cronológicamente.**

Contenidos funcionales
- Preguntar y decir la hora
- Describir acciones y actividades habituales: horarios, fechas, localización temporal
- Expresar la frecuencia con que se hace algo

Contenidos gramaticales
- Presente de indicativo (verbos regulares)
- Verbos reflexivos
- Adverbios y expresiones de frecuencia

Contenidos léxicos
- Actividades cotidianas y de ocio
- Partes del día
- Meses del año
- Días de la semana

Contenidos culturales
- Horarios, costumbres y estereotipos sobre España y los españoles
- Lenguaje no verbal
- Literatura: Juan José Millás

1.	5.	9.	13. ....
2.	6.	10.	14. ....
3.	7.	11.	15. ....
4.	8.	12.	16. ....

1.2. 👥 🔄 **Ahora relaciona las frases con los dibujos. ¿Qué hace Pepe normalmente?**

- ☐ Pepe merienda a las seis de la tarde.
- ☐ Estudia en la biblioteca a las once y cuarto.
- ☐ Se acuesta a las once.
- ☐ Se viste a las nueve y media.
- ☐ Pepe se peina a las diez menos veinticinco.
- ☐ Escucha música a las siete menos veinticinco.
- ☐ Vuelve a casa a las seis menos cuarto.
- ☐ Pepe entra en la Universidad a las diez en punto.

- ☐ Se lava los dientes a las nueve y veinticinco.
- ☐ Se levanta a las nueve y cuarto.
- ☐ Pepe se despierta a las nueve y cinco.
- ☐ Desayuna a las diez menos cuarto.
- ☐ Se lava a las ocho menos cuarto.
- ☐ Pepe se ducha a las nueve y veinte.
- ☐ Ve la tele a las once menos diez de la noche.
- ☐ Sale de casa a las ocho y cuarto.

2 La **hora** y los **horarios**

Para hablar de la hora y los horarios

- **Preguntar la hora**
  - ► ¿Qué hora es?/¿Tienes hora?

- **Decir la hora**
  - ► (Es) La una en punto.
  - ► (Son) Las cinco.
  - ► (Son) Casi las ocho.
  - ► (Son) Las ocho pasadas.
  - ► (Es) La una y dos minutos.
  - ► (Son) Las dos y cinco/y diez.
  - ► (Son) Las tres y cuarto.
  - ► (Son) Las seis y media.
  - ► (Es) La una menos veinticinco.
  - ► (Son) Las diez menos veinte.
  - ► (Son) Las doce menos cuarto.
  - ► (Son) Las trece horas y cincuenta minutos (formal).

- **Preguntar por el momento de la acción**
  - ► ¿A qué hora?

- **Expresar la duración o el momento de la acción**
  - – **De... a...**
    - ► Trabajo de 8 a 2.
  - – **Desde... hasta...**
    - ► Desde las 8 hasta las 2.
  - – **A las...**
    - ► A las cinco de la mañana/tarde.

- **Partes del día**
  - ► Por la mañana/tarde/noche.
  - ► A mediodía (12:00)...
  - ► A medianoche (24:00)...

🔍 Culturalmente, en España usamos *a mediodía* para hablar del espacio de tiempo de la comida, entre las 13:00 y las 15:00 de la tarde, normalmente.

Ejemplo:
Nos vemos a mediodía y tomamos una cerveza.

¡Fíjate en el reloj!

2.1. 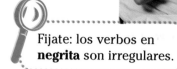 **Completa con tu compañero las horas de los relojes; no mires su ficha.**

alumno a

alumno b

3 Normalmente...

3.1. Elige uno de los verbos y representa la acción con gestos. Tus compañeros tienen que decir qué haces. **Ejemplo:** *Sonia se despierta.*

- **despertarse**
- desayunar
- ducharse
- **acostarse**
- levantarse

- estudiar/trabajar
- ver la tele
- lavarse los dientes
- **salir** del colegio/trabajo/casa
- lavarse

- peinarse
- **vestirse**
- escuchar la radio

Fíjate: los verbos en **negrita** son irregulares.

3.2. Lee las preguntas. Escribe dos más. Después, haz el cuestionario a tu compañero. Toma notas y cuenta a la clase las cosas más interesantes.

1. ¿A qué hora te levantas?
2. ¿Qué desayunas?
3. ¿Te duchas por la mañana o por la noche?
4. ¿Qué haces en tu tiempo libre: lees, ves la tele, escuchas música...?
5. ¿A qué hora sales de casa?
6. ¿Cuál es tu horario de trabajo?
7. ¿A qué hora te acuestas normalmente?
8. ¿Qué haces los fines de semana?
9. ....
10. ....

3.3. Compara un día de tu vida con lo que hace Pepe normalmente. Escríbelo.

Ejemplo: *Pepe se levanta a las nueve y cuarto, pero yo me levanto antes...*

4 El presente

Usamos el *presente* para

- **Hablar de acciones habituales (lo que haces cada día)**
  ▶ *Me levanto pronto, me ducho, desayuno y voy a trabajar.*

- **Hablar de lo que haces en este momento**
  ▶ *¿Qué haces?*
  ▷ *Leo el periódico, ¿no lo ves?*

Verbos regulares en presente de indicativo

4.1. Con tu compañero, completa el cuadro.

Verbos regulares en presente de indicativo

Trabajar	Comer	Vivir
trabaj**o**		viv**o**
trabaj**as**	com**es**	
	com**e**	viv**e**
trabaj**amos**		
trabaj**áis**	com**éis**	viv**ís**
	com**en**	

4.2. Con tu compañero, completa el cuadro.

Verbos reflexivos (acción sobre uno mismo)

	Ducharse		Lavarse	
Yo	**me**	duch**o**		
Tú	**te**	duch**as**		
Él/ella/usted	**se**	duch**a**		
Nosotros/as	**nos**	duch**amos**		
Vosotros/as	**os**	duch**áis**		
Ellos/ellas/ustedes	**se**	duch**an**		

A. Cambios vocálicos

4.3. 👥 📝 Con tu compañero, completa el cuadro.

	e > ie	o > ue	e > i	u > ue
	querer	poder	pedir	jugar
Yo	quiero	puedo	pido	
Tú	quieres			juegas
Él/ella/usted		puede	pide	juega
Nosotros/as	queremos		pedimos	jugamos
Vosotros/as	queréis	podéis	pedís	jugáis
Ellos/ellas/ustedes		pueden		juegan

- En los verbos que tienen irregularidad vocálica las personas .... y ....
  no cambian.
- Otros verbos:
  - **e > ie:** *querer, comenzar, empezar, entender, perder, pensar, despertarse.*
  - **o > ue:** *poder, encontrar, volver, dormir, costar, recordar, acostarse.*
  - **e > i:** *pedir, servir, vestirse.*

B. Verbos con irregularidad en la primera persona

4.4. 👥 📝 Relaciona la primera persona con el infinitivo.

1	Cono**z**co •		• a	Dar
2	Tradu**z**co •		• b	Hacer
3	Sé •		• c	Traducir
4	Hago •		• d	Salir
5	Salgo •		• e	Conocer
6	Pongo •		• f	Saber
7	Doy •		• g	Poner

	estar
Yo	**estoy**
Tú	estás
Él/ella/usted	está
Nosotros/as	estamos
Vosotros/as	estáis
Ellos/ellas/ustedes	están

- Estos verbos tienen irregular la .... persona.
- Otros verbos como *conocer:*
  - *producir, produ**z**co; reducir, redu**z**co; conducir, condu**z**co...*

C. Verbos con más de una irregularidad

4.5. 👥 ✏️ **Con tu compañero, completa el cuadro.**

	venir	tener	decir	oír
Yo	**vengo**	**tengo**		**oigo**
Tú	vienes		dices	oyes
Él/ella/usted	viene	tiene	dice	oye
Nosotros/as	venimos		decimos	oímos
Vosotros/as	venís	tenéis	decís	oís
Ellos/ellas/ustedes	vienen			oyen

D. Verbos totalmente irregulares

4.6. 👥 ✏️ **Completa.**

	ir	ser
Yo	**voy**	**soy**
Tú		**eres**
Él/ella/usted	**va**	
Nosotros/as	**vamos**	
Vosotros/as		**sois**
Ellos/ellas/ustedes		**son**

> 🔍 **¡Atención a la ortografía!**
> Algunos verbos cambian por cuestiones ortográficas:
>
> **Ejemplo:**
> *Coger, cojo, coges...*
> *Seguir, sigo, sigues...*

E. Otras irregularidades

4.7. 👥 ✏️ **Completa.**

i > y entre dos vocales

	construir	destruir
Yo	construyo	
Tú	construyes	
Él/ella/usted	construye	
Nosotros/as	construimos	
Vosotros/as	construís	
Ellos/ellas/ustedes	construyen	

- Otros verbos:
  - *Huir, oír...*

5 ¿Cuándo?
¿Con qué frecuencia?

5.1. Pregunta a tu compañero con qué frecuencia hace estas actividades y completa. Puedes añadir tú otras actividades.

	Siempre / Todos los días	A menudo / Muchas veces	Algunas veces	Pocas veces	Casi nunca	Nunca
Hacer gimnasia						
Leer el periódico						
Ir al dentista						
Dormir la siesta						
Ir en bici						
Ver la tele						
Escribir cartas						
Beber cerveza						
Acostarse tarde						
Ir al cine						
Escuchar música						

5.2. Ahora, explica a los demás los hábitos de tu compañero.

Ejemplo: *Fulanito no hace gimnasia nunca, pero juega al fútbol a menudo...*

Expresar el número de veces que se hace algo

- **Adverbios de frecuencia**
  Siempre
  A menudo
  Muchas veces
  Alguna vez/A veces/ Algunas veces
  Muy pocas veces
  Casi nunca
  Nunca

- **Nivel de frecuencia**
  — Todos los días/las semanas/los meses/los años
  — Cada día/tres meses/año
  — Dos/tres/... veces **a la** semana/mes/año
  — Dos/tres/... veces **por** semana/mes/año

  ▶ *¿Tú haces ejercicio?*
  ▷ *Sí, voy al gimnasio dos veces a la semana.*
  ▶ *Pues yo no voy nunca.*

CONTINÚA

Días de la semana	Meses del año
– El/los lunes	– enero
– El/los martes	– febrero
– El/los miércoles	– marzo
– El/los jueves	– abril
– El/los viernes	– mayo
– El/los sábado/s	– junio
– El/los domingo/s	– julio
	– agosto
	– septiembre
	– octubre
	– noviembre
	– diciembre

Ronda, Málaga

5.3. 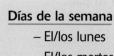 **Ahora prepara con tus compañeros tu agenda para este fin de semana.**

Viernes	Sábado	Domingo

5.4. **Completa las frases con los verbos siguientes.**

> viajar • desayunar • tomar • trabajar • dormir
> ir • acostarse • salir • tener

Muy pocos españoles (1).................. fuerte: un café solo o café con leche y unas tostadas o un croissant. En Madrid es típico (2).................. café con leche y churros. La inmensa mayoría de los trabajadores (3).................. en metro y en autobús para ir al trabajo.

La bicicleta no la utiliza casi nadie, pero hay muchas personas que (4).................. a pie.

La mitad de los españoles (5).................. la siesta y en las ciudades todavía menos personas (6).................. esta costumbre. La mayoría de las personas (7).................. por la mañana (de 8:00 a 14:00) y por la tarde (de 17:00 a 20:00), aunque hay personas con un horario intensivo (de 8:00 de la mañana a 15:00 ó 15:30 de la tarde). En España se (8).................. mucho por la noche: a cenar, al cine, al teatro, a tomar copas. Por eso los españoles nos (9).................. muy tarde, alrededor de la una entre semana y más tarde los fines de semana.

5.4.1. Escribe un texto similar con las costumbres de la gente de tu país.

5.5. Mira esta foto y dinos.

¿Qué hace esta gente? ¿Qué día de la semana es? ¿Son amigos? ¿Compañeros de trabajo?...

5.6. Escucha el siguiente diálogo de dos jóvenes españoles y completa esta agenda.
[26]

ENERO

19

1	2	3	4	5	6
7	8	9	10	11	12	13
14	15	16	17	18	19	20
21	22	23	24	25	26	27
28	29	30	31

SÁBADO

• Por la mañana...

_____
_____
_____

• Por la tarde...

_____
_____
_____

• Por la noche...

_____
_____
_____

ENERO

20

1	2	3	4	5	6
7	8	9	10	11	12	13
14	15	16	17	18	19	20
21	22	23	24	25	26	27
28	29	30	31

DOMINGO

• Por la mañana...

_____
_____
_____

• Por la tarde...

_____
_____
_____

• Por la noche...

_____
_____
_____

5.7. 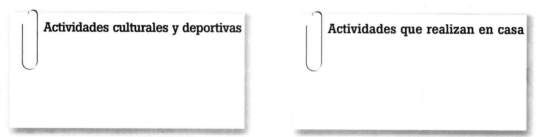 Busca en este texto actividades culturales y deportivas, y actividades que realizan en casa.

María: Miguel, ¿qué haces tú los fines de semana?

Miguel: Los sábados por la mañana me levanto pronto porque me gusta salir a correr. Cuando llego a casa, desayuno, me ducho y me voy a la compra. Después, cocino para toda la semana. Por la tarde, me echo la siesta, estudio un rato y por la noche, muchas veces, voy con mis amigos al teatro.

María: Pues yo los sábados prefiero dormir hasta tarde. Luego, cuando me levanto, también voy a la compra y hago la limpieza. Me gusta comer fuera de casa y por la tarde voy al cine. Por la noche, voy a la discoteca porque me gusta mucho bailar.

Miguel: ¿Y qué haces los domingos?

María: Los domingos voy a ver alguna exposición pero, si hace buen tiempo, me voy a la playa. Por la tarde, juego al tenis con mi hermana y después, ceno con mis padres.

Miguel: Pues yo los domingos los dedico a hacer deporte: juego al fútbol y luego nado en la piscina. Por la tarde, después de comer, me echo la siesta y por la noche veo la tele.

Actividades culturales y deportivas	Actividades que realizan en casa

5.8. Escucha atentamente los datos de esta encuesta sobre algunos aspectos de la [27] vida de los españoles y relaciona la información.

1 ¿Se levanta temprano? •	• **a** 22%
2 ¿Sale de noche todos los días? •	• **b** 67%
3 ¿Va a los toros? •	• **c** 33%
4 ¿Ve la televisión por la noche? •	• **d** 62%
5 ¿Va todas las semanas al cine? •	• **e** 34%
6 ¿Duerme todos los días la siesta? •	• **f** 56%
7 ¿Viaja todos los fines de semana? •	• **g** 58%
8 ¿Practica a menudo deporte? •	• **h** 14%
9 ¿Desayuna solo café con leche? •	• **i** 32%

5.8.1. ¿Qué conclusiones sacáis de esta encuesta?

- La mayoría de los españoles...
- Muchos españoles...
- Pocos españoles...
- Muy pocos españoles...

5.8.2. ¿Cómo son estas costumbres en tu país?

- En mi país...
- En...

5.9. Elige un personaje famoso y describe un día normal en su vida. Tus compañeros tienen que adivinar quién es.

5.10. Julia quiere ir al cine, pero no le gusta ir sola. ¿Encuentra a alguien para ir con ella? Escucha y marca.

No puede ir al cine	☐	☐	☐
Quedan para el cine	☐	☐	☐
No está en casa	☐	☐	☐

5.10.1. Vuelve a escuchar y completa.

[28]

1. .... a las siete.

2. .... el fin de semana.

3. ¿A qué hora ....?

4. ¿Por qué no .... para tomar un café?

 Usamos el verbo .... para establecer el horario, el lugar, la persona... con la que tenemos un encuentro o una cita.

· ¿A qué hora ....?
· ¿Con quién ....?
· ¿Dónde ....?

Para proponer actividades y hacer planes usamos: *¿Por qué no...?*

5.11. Queda con tus compañeros. Hay diferentes propuestas.

alumno a

Alumno A: tienes tres entradas para un partido de fútbol.

Alumno B: tienes dos entradas para el cine. Para el sábado a las 8:30 de la tarde.

Alumno C: tienes dos entradas para el teatro. El viernes a las 8 de la tarde.

TEATRO ALBÉNIZ
Plaza Mayor, 1

LA DAMA BOBA
PATIO DE BUTACAS • NO NUMERADA
Viernes 20:00 h.

ENTRADA

9 788489 756717

Alumno D: tienes cuatro entradas para el concierto de Joaquín Sabina.

JOAQUÍN SABINA

en **CONCIERTO**

PALACIO DE LOS DEPORTES
Sábado 22
22:00 h

ENTRADA

AUTOEVALUACIÓN   AUTOEVALUACIÓN   AUTOEVALUACIÓN

1. Corrige este texto. Tu profesor tiene las soluciones.

Me llamo es Jennifer. Tengo veintiuno años. Estudio español a Barcelona.
De lunes a viernes voy a una escuela en el centro. Las clases empiezo a
las diez y terminan las dos. En Barcelona tengo muchos amigos español.
Los fines de semana mis amigos y yo voy a la
playa o a la montaña para descansar y salir
de la ciudad. Los viernes por la noche, me
gusta salir de copas y a bailar. ¿Y tu, que
haces normalmente?

Para reflexionar sobre los errores es mejor tener un código de errores, corregir y volver a escribir el texto.

Muestra de código:

- ⟋ Palabra o letra que sobra
- — Cambio de preposición
- ⌇ Concordancia
- ⋁ Falta palabra
- ☐ Acento

AUTOEVALUACIÓN   AUTOEVALUACIÓN   AUTOEVALUACIÓN

1 Ocio y tiempo libre

1.1.  **¿Qué actividades de ocio conoces?**

1.2. **Lee el siguiente texto.**

Juan y Carmen son un matrimonio con gustos diferentes. A Juan le gusta el fútbol, ver la televisión y salir con los amigos. No le gusta nada cocinar. Le encanta salir de excursión con su familia en su coche nuevo. A Carmen le encanta cocinar y le gustan las películas de ciencia ficción, ir al teatro e ir de compras con sus amigas. También le gusta salir de excursión con su familia.

1.2.1. **Contesta estas preguntas.**

¿Qué le gusta...

...a él?

...a ella?

¿Y a ti?

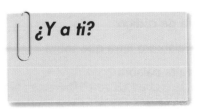

Contenidos funcionales
- Expresar gustos y preferencias
- Expresar acuerdo y desacuerdo
- Pedir algo en un restaurante, bar...

Contenidos gramaticales
- Verbos *gustar, encantar...*
- Verbo *doler*
- Pronombres de objeto indirecto
- Adverbios:
  - *también/tampoco*

Contenidos léxicos
- Ocio y tiempo libre
- Comidas y alimentos
- Partes del cuerpo
- En el médico

Contenidos culturales
- Gastronomía española
- Los bares en España
- Gestos relacionados con el bar
- El ocio de la juventud española

(A mí)	me		
(A ti)	te	gusta	el cine
(A él/ella/usted)	le	encanta	jugar al fútbol
(A nosotros/as)	nos	gustan	las motos
(A vosotros/as)	os	encantan	los ordenadores
(A ellos/as/ustedes)	les		

Igual que *gustar*: *encantar, importar, doler, parecer, quedar bien/mal* (algo a alguien), *pasar* (algo a alguien)...

Para marcar la intensidad usamos:

*Me gusta **muchísimo** el cine.*
*Te gusta **mucho** bailar.*
*Le gustan **bastante** los pasteles.*
*No nos gustan **demasiado** los deportes.*
*No os gusta **nada** viajar.*

Mismos gustos

▶ *Me gusta(n).*   ▷ *A mí también.*

▶ *No me gusta(n).*   ▷ *A mí tampoco.*

Gustos diferentes

▶ *Me gusta(n).*   ▷ *A mí, no.*

▶ *No me gusta(n).*   ▷ *A mí, sí.*

1.3. Piensa en tus padres, un buen amigo y una buena amiga. Ahora completa el cuadro. Después, cuéntaselo a tu compañero.

Nombre	Le gusta	No le gusta

1.4. Escribe cinco cosas que te gustan. Después, pregunta por la clase y encuentra compañeros con tus mismos gustos y con gustos diferentes.

Actividades y preferencias	Mismos gustos	Gustos diferentes

2 Para gustos, los **colores**

2.1.  Lee los siguientes textos sobre estos personajes.

PEDRO PELÍCULAS
Director de cine

A Pedro le gusta mucho divertirse, salir por la noche e ir a fiestas y reuniones sociales. Le encanta ser protagonista y participar en todos los actos.

Pedro es un gran comilón. Le encanta la comida tradicional española, sobre todo el pisto manchego, el bacalao al pil-pil y la carne en general. Sin embargo, no le gusta la fruta.

Pedro es un amante del buen vino y del café.

RAÚL MARCAGOLES
Futbolista

Raúl desayuna fuerte todas las mañanas. Normalmente toma leche, pan tostado, jamón, queso y fruta.

A Raúl le encanta conducir, pero a veces coge el metro para ir a entrenar. Le gusta hablar con la gente en la calle y firmar autógrafos. Le gusta mucho ir al cine y también ir a conciertos de música con sus amigos.

Sus platos preferidos son la paella y la merluza a la gallega. No le gustan las verduras ni las legumbres.

ESTHER PASARELAS
Modelo

A Esther le encanta cuidarse. Va al gimnasio tres veces por semana y los fines de semana practica el esquí, monta a caballo y también le gusta el submarinismo.

Para comer, a Esther le gustan las ensaladas y todo tipo de pescados. No le gustan las comidas grasas y siempre bebe agua. A Esther le encantan los dulces, pero tiene que controlar su peso. Es una apasionada de la cocina mexicana. Su plato preferido son los tacos.

2.1.1. Di si las siguientes afirmaciones son verdaderas o falsas y justifica tu respuesta.

	Verdadero	Falso
1. A Esther y a Pedro les gustan las ensaladas.	☐	☐
2. A Raúl no le gusta conducir.	☐	☐
3. A Pedro le encanta el buen vino.	☐	☐
4. A Esther no le gustan los dulces.	☐	☐
5. Raúl desayuna huevos con beicon.	☐	☐
6. A Raúl le encanta la paella.	☐	☐
7. A Pedro le gustan mucho las fiestas.	☐	☐
8. Pedro tiene que controlar su peso.	☐	☐
9. A Raúl le gusta mucho ir a conciertos de música.	☐	☐
10. Raúl y Esther hacen deporte.	☐	☐

2.2. 👤 ✏️ **Escribe sobre los gustos de algún personaje famoso de tu país, un familiar o un personaje imaginario.**

....

....

....

....

....

....

....

2.3. 👤 📖 **Lee este anuncio de la sección de contactos.**

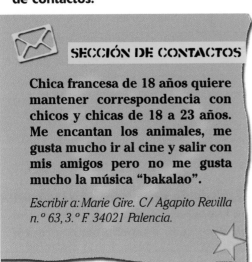

SECCIÓN DE CONTACTOS

Chica francesa de 18 años quiere mantener correspondencia con chicos y chicas de 18 a 23 años. Me encantan los animales, me gusta mucho ir al cine y salir con mis amigos pero no me gusta mucho la música "bakalao".

Escribir a: Marie Gire. C/ Agapito Revilla n.º 63, 3.º F 34021 Palencia.

2.3.1. 👤 ✏️ **Escribe tú un anuncio para buscar amigos por correspondencia o e-mail. Después pega tu anuncio en el tablón de la clase y elige uno que te guste.**

2.3.2. 👤 ✏️ **Ahora, responde al anuncio.**

3 Las comidas en España

3.1. 👤 📖 **Lee los siguientes textos sobre los hábitos alimenticios de los españoles.**

En España la primera comida del día –*el desayuno*– no es muy abundante. La mayoría de la gente toma café con leche, tostadas, algún bollo o galletas.

El almuerzo es la comida entre el desayuno y la comida del mediodía. A menudo se utiliza esta palabra aplicándola a la comida del mediodía.

CONTINÚA ·····⋮·

La comida, en España, es la comida principal del día. Se toma un primer plato: verduras, legumbres, arroz... y un segundo plato: carne o pescado. A continuación se toma el postre: algo de fruta o algún dulce. Es costumbre acompañar la comida con vino y tomar café después del postre.

La merienda es habitual a media tarde. Entre los niños es frecuente tomar un bocadillo.

La última comida del día es **la cena**. Se toma algo ligero como sopa, verduras, huevos, queso, fruta...

3.2. **Escribe un texto comparando la dieta española con las costumbres alimenticias de tu país.**

Ejemplo: *En mi país se desayuna más fuerte que en España. Generalmente...*

_____

_____

_____

_____

_____

_____

¡Recuerda! Para comparar dos cosas:

*Esto es **más** bonito **que** eso.*

*Tu hermano es **tan** alto **como** el mío.*

*Eso me gusta **menos que** esto.*

3.3. **¿Qué se puede tomar en un bar? Escríbelo debajo del apartado correspondiente.**

Tapas y raciones	Bocadillos	Bebidas

3.4. **Escucha esta conversación en un bar y contesta a las siguientes preguntas.**
[29]

1. ¿Toman algo?
2. ¿Qué comen?
3. ¿Qué beben?
4. ¿Qué parte del día es?
5. ¿Cómo pagan?

Elige la respuesta correcta y justifícala.

☐ Uno de ellos invita al otro   ☐ Paga cada uno su consumición

☐ Pagan la mitad cada uno   ☐ Invita el camarero

☐ No pagan

3.5. ¿Qué se puede tomar en un restaurante? Mira el menú y pregunta el vocabulario que no conozcas. A continuación, escucha esta conversación en un restaurante y completa la información.

[30]

Casa Eva
Menú del día

Primeros
Paella
Sopa
Guisantes con jamón
Espárragos
Ensalada mixta

Segundos
Escalope con patatas
Pollo asado
Calamares a la romana
Trucha con jamón

Postres
Fruta del tiempo
Arroz con leche

	ELLA	ÉL
De primero		
De segundo		
¿Necesitan algo?		
De postre		
¿Toman algo más?		

3.5.1. Clasifica los productos.

> queso • morcilla • cordero • atún • lechuga
> • alubias • leche • naranjas • sardinas • peras
> •manzanas • chorizo • jamón • merluza • ternera
> • cebollas • tomates • mejillones • fresas
> •calabacín • yogur • ajo • repollo • coliflor
> • chuletas de cerdo • uvas • pimiento • gambas

Verduras y legumbres	Frutas	Carnes y fiambres	Pescados y mariscos	Productos lácteos

3.5.2. Estáis en un restaurante y tenéis que pedir la comida. Uno de vosotros es el camarero. El menú y la actividad 3.5.1. de vocabulario, os puede ayudar a elaborar el menú del restaurante.

3.6. Ahora, con tu compañero, escribe más nombres de productos alimenticios. ¿Cuántos puedes escribir en dos minutos? Después, se los leéis a la clase.

3.6.1. Ahora haz una encuesta entre tus compañeros para saber qué alimentos gustan más y cuáles menos, y también para saber quién tiene unos gustos más parecidos a los tuyos.

Ejemplo: ▷ *Hans, ¿te gustan los tomates?*
       ▶ *Sí.*
       ▷ *A mí también.*

– ***A mi compañero*** *le gustan los tomates.*
– ***A mí*** *también.*

Alimento que gusta más
....
Alimento que gusta menos
....
Compañero con gustos parecidos
....
Compañero con gustos opuestos
....

4 El **cuerpo**

4.1. Estas son las partes del cuerpo, pero, ¿sabes qué artículo llevan? Escribe con tu compañero los artículos.

Ejemplo: *El pie, los pies (son dos)*

4.2. Tapa el dibujo anterior y completa con las partes del cuerpo.

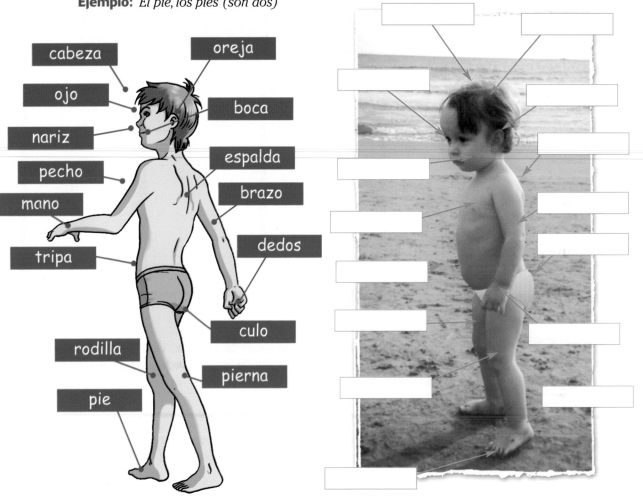

cabeza · oreja · ojo · boca · nariz · espalda · pecho · brazo · mano · dedos · tripa · culo · rodilla · pierna · pie

5 Me duele...
Doctor

5.1. Relaciona las frases con los dibujos.

  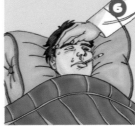

- a. **estoy mareado**
- b. **estoy cansado**
- c. **tengo gripe**
- d. **tengo tos**
- e. **estoy enfermo**
- f. **tengo fiebre**

5.2. Mira a estas personas. No están bien. ¿Qué les duele?

1. **Le duele** la cabeza
2. **Le duelen** los pies
3.

4.
5.
6.

7.
8.

A veces nuestro cuerpo no está bien y nos duele alguna parte:

Me duele + nombre singular
Me duele el estómago.

*Me duele**n*** + nombre plural
Me duelen los pies.

5.3. 👤✏️ **Relaciona.**

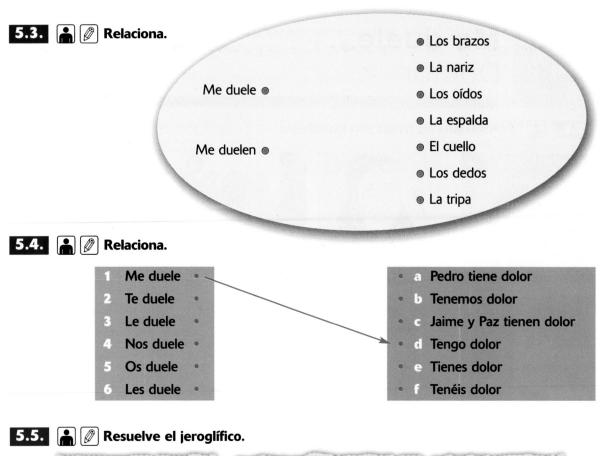

Me duele ●

Me duelen ●

- Los brazos
- La nariz
- Los oídos
- La espalda
- El cuello
- Los dedos
- La tripa

5.4. 👤✏️ **Relaciona.**

1 Me duele ●		● a Pedro tiene dolor
2 Te duele ●		● b Tenemos dolor
3 Le duele ●		● c Jaime y Paz tienen dolor
4 Nos duele ●		● d Tengo dolor
5 Os duele ●		● e Tienes dolor
6 Les duele ●		● f Tenéis dolor

5.5. 👤✏️ **Resuelve el jeroglífico.**

ÚLTIMAMENTE TRABAJO MUCHO. HOY ES VIERNES Y [imagen] DE VERDAD.

ADEMÁS, NO ME ENCUENTRO MUY BIEN, TENGO [imagen] Y ME [imagen]

CREO QUE [imagen] , POR LO MENOS 37 Y MEDIO. TENGO MUCHO FRÍO Y [imagen]

CREO QUE ME VOY A METER [imagen] AHORA MISMO. SEGURO QUE [imagen]

PORQUE ADEMÁS [imagen] ¡QUÉ HORROR!

5.6. 👥💬 **Para el dolor. Con tu compañero, decid para qué sirven estos remedios.**

· Una aspirina	· Dormir mucho	· Un antibiótico
· Un vaso de leche	· Ejercicio	· Un coñac
· Un té	· Gimnasia	
· Agua con sal	· Yoga	

Ejemplo: *Una **aspirina** y **dormir** mucho, para el dolor de cabeza.*

5.7. **Estás en la sala de espera del médico, donde es habitual en España contarle a otros pacientes tus enfermedades. Elige un personaje y cuenta quién eres y qué te pasa; seguro que encuentras apoyo moral.**

Nombre: Sara　　　　　**Edad:** 76 años

Observaciones:
- Tiene artritis.
- Le duelen los huesos, especialmente las manos.
- Vive sola. Sus hijos viven en otra ciudad.
- Habla sin parar.

Nombre: Antonio　　　　**Edad:** 67 años

Observaciones:
- Tiene bronquitis crónica.
- Fuma muchísimo.
- Se queja siempre de los médicos.
- Está resfriado. Le duele la garganta y el pecho.

Nombre: Magdalena　　　**Edad:** 63 años

Observaciones:
- Tiene un dolor en la espalda. No sabe si es muscular o un dolor de riñones o lumbago.
- Está preocupada.

Nombre: Luis

Observaciones:
- Luis es canguro de Dani. Dani tiene 4 años.
- Dani está pálido. No quiere jugar. No tiene fiebre pero dice que le duele mucho el estómago.
- Su padre tiene problemas de estómago.

Nombre: Lucía

Observaciones:
- Madre de un niño de 3 meses.
- Es el primer niño.
- El niño tiene fiebre. Está llorando todo el tiempo. No quiere comer.
- La madre está muy preocupada.

AUTOEVALUACIÓN

1. Clasifica los siguientes ejercicios para aprender español, según tus preferencias:

- Los juegos de lógica
- Los crucigramas
- Los ejercicios de huecos
- Los ejercicios de verdadero y falso
- Los "roleplay"
- Los ejercicios de dibujar
- Usar imágenes para hablar
- Las redacciones
- Los textos
- Los ejercicios de vocabulario
- Los ejercicios de hablar en parejas
- Las representaciones
- Hacer mímica
- Los juegos
- Los ejercicios de transformar oraciones
- Las audiciones
- Los ejercicios de pronunciación del español
- Los dictados
- Las traducciones
- El trabajo con diccionario
- Otros...

Me gusta	No me gusta

Me gustan	No me gustan

Me parece interesante	No me parece interesante

Me parecen interesantes	No me parecen interesantes

Contenidos funcionales

- Descripción de una acción que se está realizando: hablar de la duración de una acción
- Expresar simultaneidad de acciones

Contenidos gramaticales

- *Estar* + gerundio
- Verbos de tiempo atmosférico: *llover, nevar,* etc.
- *Hace + muy/mucho +* adjetivo/sustantivo
- Uso de la preposición *en*
- *Muy/mucho*

Contenidos léxicos

- El tiempo atmosférico
- En la costa/en el interior/en la montaña
- Los puntos cardinales
- Estaciones del año

Contenidos culturales

- El clima en España y Uruguay

1 ¿Qué tiempo hace?

1.1. **Relaciona cada dibujo con expresiones de los recuadros.**

Hace +
- sol
- aire
- (mucho) viento
- (mucho) calor
- (mucho) frío
- fresco
- (muy) buen tiempo
- (muy) mal tiempo

- Llueve
- Nieva
- Hay + tormenta
- Está + nublado

1.2. [31] **Contesta este cuestionario y luego escucha la audición para comprobar tus respuestas.**

1 En España en verano hace...
- ☐ a. siempre mucho frío.
- ☐ b. mal tiempo.
- ☐ c. calor.
- ☐ d. viento.

2 Los Pirineos están en la frontera de España con...
- ☐ a. Irlanda.
- ☐ b. Alemania.
- ☐ c. Suecia.
- ☐ d. Francia.

3 En verano la gente en las playas...
- ☐ a. está tomando el sol.
- ☐ b. sigue nevando.
- ☐ c. está haciendo la comida.
- ☐ d. está trabajando mucho.

4 En el norte de España la gente lleva chaqueta porque...
- ☐ a. durante el día hace calor.
- ☐ b. llueve en invierno.
- ☐ c. en verano hace un poco de frío por la noche.
- ☐ d. hace mucho viento en las montañas.

1.3. 👥 🎧 **Vuelve a escuchar y di si estas afirmaciones son verdaderas o falsas. Justifica tu**
[31] **respuesta.**

	Verdadero	Falso
1. En el sur de España hace mucho frío.	☐	☐
2. En el sur de España llueve mucho en verano.	☐	☐
3. Por la noche, en el norte de España hace un poco de frío.	☐	☐
4. En el país de Hans ahora está nevando y sigue haciendo bastante sol.	☐	☐
5. En los Pirineos hace mucho viento.	☐	☐

Para hablar del tiempo

- ¡**Qué** frío/calor (hace)!
- **Hace** mucho/muchísimo frío/calor.
- **¿Tienes/tiene** frío/calor?
- ¡**Qué** frío/calor **tengo**!

- **¿Qué** día/tiempo hace?
- Hace un día muy/bastante bueno/malo.
- **No hace nada de** frío/calor.
- **Estamos** a X grados.

1.3.1. 👤 ✏️ **Completa según la información de la audición.**

1. ¿Qué tiempo está .... en tu país?
   ☐ **a.** comiendo   ☐ **b.** hace   ☐ **c.** haciendo   ☐ **d.** nevando
2. En las montañas está nevando y en el interior .... lloviendo.
   ☐ **a.** es   ☐ **b.** tiene   ☐ **c.** hace   ☐ **d.** sigue
3. En el país de Hans normalmente .... en esta época del año.
   ☐ **a.** llueve   ☐ **b.** hace mucho   ☐ **c.** nieva   ☐ **d.** es muy frío
4. En las playas la gente está .... el sol.
   ☐ **a.** comiendo   ☐ **b.** tomando   ☐ **c.** tomar   ☐ **d.** siguiendo

1.4. 👤 ✏️ **Rellena los espacios en blanco con un ejemplo. Puedes encontrarlos en las frases del ejercicio 1.3.**

Acción en desarrollo

Estar + **gerundio** (acción que se produce en el momento en que se habla)

	(mucho/muchísimo/bastante/un poco).

El gerundio

-*ar* / -ando		-er / -iendo		-ir / -iendo	
Hablar	hablando	Comer	comiendo	Vivir	viviendo
Cantar	cantando	Beber	bebiendo	Salir	saliendo
Nevar	nevando	Hacer	haciendo	Escribir	escribiendo

Gerundios irregulares

Dormir ➡ durmiendo	Leer ➡ leyendo	Decir ➡ diciendo	Oir ➡ oyendo

Llover	Nevar
Presente: **llueve**	Presente: **nieva**

> ► *¡Cómo **llueve/nieva**!*
> ▷ *Sí, es increíble.*

Para hablar del tiempo

► *¡Qué frío/calor (hace)!*

▷ *Sí, hace un frío/calor/día horrible.*

▷ *Sí, hace mucho/muchísimo frío/calor.*

▷ *Sí, aquí siempre hace mucho/muchísimo frío/calor en esta época.*

► *¿Tiene/tienes frío/calor?*

▷ *¡Qué frío/calor tengo!*

▷ *Ah, pues yo, no.*

► *¿Qué día/tiempo hace allí?*

▷ *Hace un día muy/bastante bueno/malo.*

▷ *Hace mucho/muchísimo/bastante frío/calor.*

▷ *No hace nada de frío/calor.*

▷ *Estamos a X grados bajo cero.*

1.5. **Escribe un pequeño texto sobre el clima de tu ciudad.**

2 Estaciones del año

2.1. [32] **Escucha y relaciona los sonidos con una estación. Justifica tu respuesta.**

2.2. [33] **Estos son los doce meses del año. Completa con las vocales que faltan.**

LOS MESES DEL AÑO

n□ r o   f□ b r□ r□

m□ r z□   □ b r□ l

m□ y□   j□ n□□

j□ l□□   □ g□ s t o

s□ p t□□ m b r□

                o c t□ b r□

n o v□□ m b r e

                d□ c□□ m b r e

2.3. **Aprende este refrán.**

Treinta días trae noviembre,

con abril, junio y septiembre.

> Usamos **muy** delante de adjetivo:
> *El sur es* **muy** *cálido.*
>
> Usamos **mucho, mucha, muchos, muchas** delante de nombres:
> *Hace* **mucho** *frío. Hay* **muchas** *nubes en el cielo.*
>
> Usamos **mucho** después del verbo:
> *Llueve* **mucho**.

3 Repetimos

3.1. **Forma frases uniendo los elementos de las cajas.**

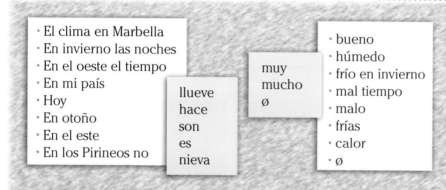

- El clima en Marbella
- En invierno las noches
- En el oeste el tiempo
- En mi país
- Hoy
- En otoño
- En el este
- En los Pirineos no

llueve
hace
son
es
nieva

muy
mucho
ø

- bueno
- húmedo
- frío en invierno
- mal tiempo
- malo
- frías
- calor
- ø

3.2. **Piensa en las distintas estaciones del año en tu país. Ahora, agrupa los meses según las estaciones del año y explica cómo es el tiempo, igual que en el modelo.**

Ejemplo: *En mi país, en enero estamos en invierno.*

3.3. **Llamas a tu compañero por teléfono y hablas sobre el tiempo que hace en su ciudad y en la tuya. Piensa en el día que hace hoy y escoge alguna de estas opciones para explicarle el tiempo que hace.**

- Hace
- No hace nada de

- Muchísimo
- Mucho
- Bastante
- Un poco de

- Llover
- Nevar

- Frío
- Fresco
- Calor

- Estamos a x grados

- Un día horrible/estupendo

3.4. **Pregúntale a tu compañero qué tiempo hace en su país en...**

- Verano
- Semana Santa
- Año Nuevo

- Su cumpleaños
- El día más importante de su país
- ...

3.5. **Contesta a tu amigo Carlos dándole la información que te pide en su carta.**

¡Hola! ¿Cómo estás?

La próxima semana quiero ir a España a verte.
Tengo muchas ganas de ir para conocer Madrid, pasear por sus calles y ver sus museos. Pero tengo una pregunta: ¿qué tiempo hace ahí?
Escribe pronto y cuéntame, porque tengo que hacer la maleta y no sé qué ropa es mejor.

Un abrazo muy fuerte,
Carlos

3.6. 🖼️ ✏️ **Escribe una pequeña redacción sobre el mes y la estación del año que prefieres y explica el porqué.**

3.7. 👫 💬 **Mira las imágenes. Escoge una y descríbela utilizando los siguientes verbos, sustantivos y adjetivos. Tus compañeros tienen que decir de qué imagen estás hablando.**

Verbos
- nieva
- llueve
- hace (frío/calor/sol/viento...)
- hay (nieve/niebla/tormenta...)
- es/está (caluroso/tranquilo...)

Adjetivos
- frío
- caluroso
- templado
- tranquilo
- suave
- húmedo
- seco
- nublado
- despejado

Sustantivos
- la nieve
- la lluvia
- el calor
- el frío
- la niebla
- el mar
- el cielo
- la temperatura
- la tierra

3.8. 👤 🎧 **Escucha la siguiente grabación y completa el cuadro.**
[34]

1. En las montañas _____.	
2. En el sur _____ aproximadamente 35º.	
3. _____ sigue teniendo temperaturas muy agradables.	
4. En la costa mediterránea no hay _____.	
5. En la costa mediterránea está _____.	
6. En las islas Canarias _____ despejado.	
7. En el centro el tiempo es _____.	

3.9. 🧑‍💼 🎧 **Escucha las siguientes conversaciones y señala en el dibujo a qué comunidad**
[35] **autónoma de España corresponden y qué tiempo hace allí.**

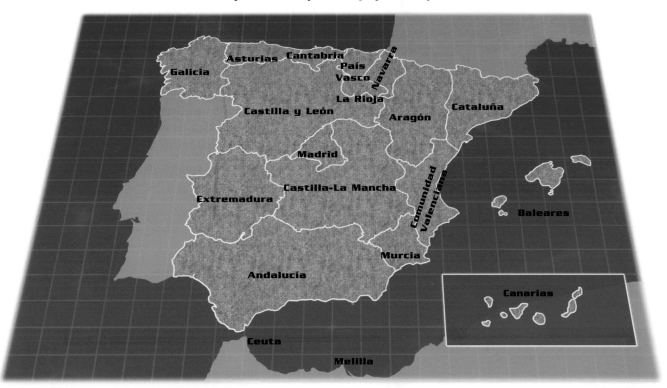

3.9.1. 🧑‍💼 🎧 **Escucha otra vez e identifica las reacciones a la información del tiempo.**
[35]
Ejemplo: ▷ *¡Qué frío!*

AUTOEVALUACIÓN

Antes de escribir una redacción, es bueno hacer un resumen con los puntos más importantes. Así podemos estructurar el texto mejor. Fíjate:

Tema: El clima en España

— Generalidades: *sur de Europa. Clima templado. País mediterráneo. Temperaturas agradables.*

— Diferencias climáticas *entre norte del país, sur del país, zona central del país.*

— Estaciones:

• Verano: *sol, mucho calor. No hay agua.*

• Invierno: *frío, viento, no llueve demasiado.*

• Primavera: *lluvia. Buen tiempo. Flores, pájaros...*

• Otoño: *precioso. Colores rojos.*

Ahora ya podemos escribir. Cada punto puede ser un párrafo.

Unidad

8

Contenidos funcionales

- Expresar/preguntar por la cantidad
- Hablar de la existencia, o no, de algo o de alguien
- Expresar duda, indecisión o ignorancia
- Preguntar por un producto y su precio

Contenidos gramaticales

- Presentes irregulares
- Pronombres de objeto directo
- Pronombres y adjetivos indefinidos:
  - *algo/nada*
  - *alguien/nadie*
  - *alguno/ninguno*
- Pronombres y adjetivos demostrativos
- Pronombres interrogativos
- Números cardinales del 101 al millón
- Preposición *para*

Contenidos léxicos

- Las compras
- Las tiendas
- El supermercado. La lista de la compra
- Relaciones sociales en España

Contenidos culturales

- Gastronomía en Guatemala
- Costumbres propias de España

1 De tiendas

1.1. 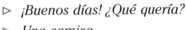 **Escucha y lee los siguientes diálogos e identifica dónde están. Justifica tu respuesta.**

1.
> ▷ ¡Buenos días! ¿Qué quería?
> ► Una camisa.
> ▷ ¿Cómo la quiere?
> ► Blanca.
> ▷ ¿Qué talla tiene?
> ► Uf, nunca me acuerdo. No estoy segura, pero creo que la 42.
> ▷ Tenemos estos modelos. ¿Le gusta alguno?
> ► Sí, esa. **¿Cuánto cuesta?**
> ▷ 25 euros.
> ► ¿Puedo probármela?
> ▷ Sí, por supuesto. Los probadores están al fondo a la derecha.(...) ¿Qué tal le queda?
> ► Pues, no sé... No estoy segura. Es estrecha y el cuello no me gusta... Creo que voy a pensarlo.

2.
> ▷ ¡Hola!
> ► ¡Hola, buenas tardes!
> ▷ ¡Buenas tardes! ¿Me da un metrobús por favor?
> ► Sí, un momento... aquí tiene. ¿Algo más?
> ▷ Sí. **¿Qué precio tienen** esos mecheros de ahí?
> ► Aquellos cuestan 2 euros y estos de aquí son más baratos: 1,50 euros.
> ▷ Entonces, uno de 1,50 euros.
> ► ¿De qué color lo prefiere?
> ▷ Pues... rojo, gracias.
> ► Aquí tiene. ¿Desea algo más?
> ▷ No, nada más, gracias.
> ► **Son 6,50 euros.**

CONTINÚA ⋯⋮⋯

3.

▷ *¿Hay alguien esperando para el pescado?*
► *No, no hay nadie. Es su turno. ¿Qué le pongo?*
▷ *¿La merluza está fresca?*
► *¡Fresquísima y buenísima!*
▷ **¿A cómo está?**
► *A 12,69 euros el kilo.*
▷ *Póngame esta de aquí.*
► *¿Alguna cosita más?*
▷ *No, nada más, gracias.*

4.

▷ *Oiga, señorita, ¿me atiende, por favor?*
► *Sí, señora, ahora mismo.*
▷ *Mire, necesito un cepillo de dientes. ¿Me enseña alguno eléctrico?*
► *Pues en este momento no me queda ninguno, lo siento. ¿Alguna cosa más?*
▷ *No, nada más, gracias. Adiós.*
► *Hasta luego, gracias.*

En una perfumería **a.** ■

En un mercado **b.** ■

En un estanco **c.** ■

En una tienda de ropa **d.** ■

1.1.1. 👤 ✏ **Completa este cuadro con la información de los textos anteriores.**

	¿Dónde están?	¿Qué compran?	¿Cuánto cuesta?
1.			
2.			
3.			
4.			

1.1.2. 👥 💬 **¿Verdadero o falso? Explica tu respuesta.**

	Verdadero	Falso
1. La camisa cuesta menos que la merluza.	■	■
2. No hay ningún mechero en el estanco.	■	■
3. La clienta de la perfumería quiere un cepillo de dientes eléctrico, pero no puede ver ninguno porque no quedan.	■	■
4. La clienta de la tienda de ropa quiere una camisa blanca.	■	■
5. La mujer que quiere una camisa blanca está indecisa. No sabe si comprarla o no.	■	■
6. La merluza está a 14 euros y no está muy fresca.	■	■
7. El mechero, no lo compra.	■	■
8. No hay ningún probador en la tienda de ropa.	■	■

1.1.3. 👥 ✏️ **Contesta a estas preguntas.**

a. **¿Cuánto vale** la camisa?

....

b. ¿Qué quiere la señora que va a la perfumería?

....

c. ¿De qué color quiere el cliente el mechero?

....

d. ¿Hay alguien esperando antes de la clienta en la pescadería?

....

e. ¿Qué talla tiene la clienta que compra la camisa?

....

f. ¿Cuántos cepillos le quedan a la dependienta de la perfumería?

....

g. **¿Cuánto cuestan** los mecheros en el estanco?

....

1.1.4. 👥 ✏️ **Lee el texto y realiza la pregunta adecuada para poder responder a las frases que están en negrita.**

Este año la vida es más cara. ¡Qué barbaridad! Ahora con la llegada del euro, un café **cuesta 1 euro con veinte**; en el mercado las patatas **están a 3 euros y pico** el kilo y el litro de gasoil **vale más de 0,90 euros**.

Ejemplo: *¿Cuánto cuesta el café?*

1.1.5. 👥 ✏️ **Habla con tu compañero y escribe en pequeño texto similar al de la actividad 1.1.4. y explica a la clase cómo son los precios ahora en tu ciudad.**

....

....

....

1.2. 👤 ✏️ **Completa el siguiente cuadro buscando en los ejercicios anteriores los ejemplos. Para ayudarte, hemos puesto las expresiones en negrita.**

Para preguntar por el precio de algo/expresar la cantidad

- **Para preguntar por el precio de algo:**
  - ▸ ¿...?
  - ▸ ¿...?
  - ▸ ¿...?
  - ▸ ¿...?

  - ▸ ¿Cuánto es?
  - ▸ ¿Qué le/te debo/doy?
  - ▸ ¿Me dice/s que le/te debo/doy?

- **Para contestar:**
  - ▹ *La merluza está a 11 euros el kilo.*
  - ▹ *Las peras están a 1,20 euros el kilo.*
  - ▹ *La camisa cuesta 46 euros.*
  - ▹ *Las camisas cuestan 46 euros cada una.*
  - ▹ *46 euros.*

  - ▹ ....

1.3. Observa la información de este cuadro.

Hablar de la existencia o no de algo o de alguien

▶ *No se ve nada*.

▶ *Allí hay alguien*.

▶ *Aquí hay algo*.
▷ *¿Qué es?*

- Para preguntar y hablar de la existencia o ausencia de una **cosa** o **información** sin especificar:
  - *¿Sabes algo de física nuclear?*
  - *Hay algo aquí que no me gusta.*
  - *No hay nada que me disguste.*
- Para preguntar y hablar de la existencia o ausencia de una **persona**:
  - *¿Conoces a alguien en esta ciudad?*
  - *Alguien pregunta por tu hermano.*
  - *Aquí no hay nadie.*
- Para preguntar y hablar de la existencia o inexistencia de **personas** o **cosas**:
  - ▶ *¿Conoces a algún buen médico?*
  - ▷ *Sí, en mi ambulatorio hay algunos buenísimos.*
  - *No tengo ningún libro sobre este tema.*

PRONOMBRES, ADJETIVOS Y ADVERBIOS NEGATIVOS

Si el pronombre, adjetivo o adverbio se coloca detrás del verbo hay doble negación.
El adverbio de negación "NO" desaparece si la frase comienza por pronombre, adjetivo o adverbio negativo.

Ejemplos:

*Hoy **no** puede venir **nadie** a mi fiesta.* ➡ *Hoy **nadie** puede venir a mi fiesta.*
***No** dices **nada** correcto.* ➡ ***Nada** de lo que dices es correcto.*
***No** está **nunca** en casa.* ➡ ***Nunca** está en casa.*

Adjetivos y pronombres indefinidos

Para hablar de la existencia o no de algo o alguien:

	Adjetivos indefinidos		Pronombres indefinidos	
	afirmativo	negativo	afirmativo	negativo
singular	algún / alguna	ningún / ninguna	alguno / alguna	ninguno / ninguna
plural	algunos / algunas	ningunos / ningunas	algunos / algunas	ningunos / ningunas
			algo (cosa)	nada (cosa)
			alguien (persona)	nadie (persona)
			algo de (parte de algo)	nada de (parte de algo)

1.4. 🧍 ✏️ **Completa el diálogo con las siguientes palabras.**

> nada • algún • alguna (2) • algunos (2) • ninguno • algo

[En una perfumería]

▷ *Buenos días. ¿Quiere ....?*

▶ *Sí, quería ver .... cosa para regalo.*

▷ *¿Para caballero o para señora?*

▶ *Para caballero. ¿Tiene .... perfume de oferta?*

▷ *Sí, por supuesto. Tenemos .... en ese pasillo de ahí.*

▶ *¿Tiene un perfume que se llama "Machomen"?*

▷ *No, no queda ...., pero hay .... muy parecidos.*

▶ *Bien, me llevo este.*

▷ *Muy bien. ¿........................ cosa más?*

▶ *No, gracias. .... más. ¿Cuánto es?*

▷ *Son 36,28 euros.*

1.4.1. 🧍 🎧 **Escucha el diálogo y comprueba.**
[37]

1.4.2. 👥 ✏️ **Imagina que estás en una tienda de ropa y complementos. Escribe con tu compañero un diálogo similar al del ejercicio 1.4. Después, representadlo para la clase.**

1.5. 🧍 🎧 **Escucha las siguientes conversaciones y completa los datos que faltan.**
[38]

Diálogo 1

▷ *¿Qué ....?*

▶ *Una camisa.*

▷ *¿Cómo .... quiere?*

▶ *Blanca y de manga larga.*

Diálogo 2

▷ *¿........................ .... están estos tomates de aquí?*

▶ *A 2 euros el kilo.*

▷ *........................ kilo y medio.*

▶ *¿........................ más?*

▷ *No, gracias. .... más.*

Diálogo 3

▷ *Necesito unos zapatos cómodos.*

▶ *¿De qué color .... quiere?*

▷ *Negros.*

▶ *¿Qué número tiene?*

▷ *El 42.*

▶ *Tenemos estos modelos. ¿Le gusta ....?*

▷ *Pues..., no, la verdad. No me gusta .... Lo siento.*

CONTINÚA ••••

Diálogo 4

▷ ¿Cuánto .... las cintas de vídeo?
▶ Están de oferta: estas valen 2,65 euros cada una.
▷ Vale, me .... llevo.

Adjetivos y pronombres demostrativos

	masculino	femenino
singular	este/ese/aquel	esta/esa/aquella
plural	estos/esos/aquellos	estas/esas/aquellas

▶ *¿**Esos** plátanos son baratos?*
▷ *__Estos__ de aquí sí, pero __aquellos__ de allí son más caros.*

▶ *¿Quiere un kilito de __esas__ naranjas?*
▷ *Sí, deme naranjas, pero no de __estas__ de aquí, deme de __aquellas__ de allí.*

Pronombres demostrativos neutros

Esto   *¿Qué es __esto__? Un ordenador.*
Eso   *¿Qué es __eso__? Un abrigo.*
Aquello   *¿Qué es __aquello__? Un avión.*

1.6. 👤 ✎ **Tenemos tres listas de objetos situados en diferentes puntos. Tú estás en el círculo. ¿Qué demostrativo puedes utilizar para señalar cada objeto?**

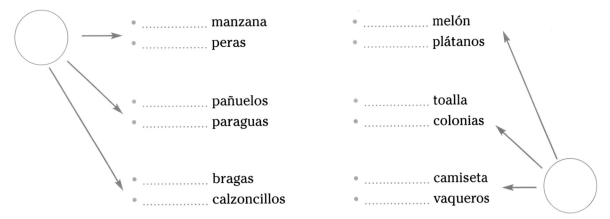

- .... manzana
- .... peras

- .... melón
- .... plátanos

- .... pañuelos
- .... paraguas

- .... toalla
- .... colonias

- .... bragas
- .... calzoncillos

- .... camiseta
- .... vaqueros

1.7. ◆ 🅒 **Elige tres cosas, mejor si no sabes cómo se llaman en español. Ahora escucha las instrucciones de tu profesor.**

Ejemplo: *¿Qué es aquello? Una estrella.*

1.8. 👥 ✎ **Relaciona.**

1 Los plátanos •	• **a** **La** compro.
2 Las peras •	• **b** No **los** compro.
3 El melón •	• **c** **Las** quiero de agua.
4 La sandía •	• **d** No **lo** quiero tan grande.

Pronombres de objeto directo

	1.ª persona	2.ª persona	3.ª persona	
			femenino	masculino
(singular)	**me**	**te**	**la**	**lo** (le)
(plural)	**nos**	**os**	**las**	**los**

> ► *¿Vas a hacer la comida?*
> ▷ *Sí, **la** hago ahora mismo.*
>
> ► *¿Quién tiene las notas?*
> ▷ ***Las** tengo yo.*

> ► *¿Tienen ya el coche?*
> ▷ *No, pero **lo** arreglan hoy mismo.*
>
> ► *¿Ves a los niños desde aquí?*
> ▷ *Pues no, la verdad es que no **los** veo.*

1.9. Escucha las siguientes conversaciones y señala de qué están hablando.
[39]

Diálogo 1:	Diálogo 2:	Diálogo 3:	Diálogo 4:
☐ Un proyector	☐ Un cepillo de dientes	☐ Unas revistas	☐ Unas patatas
☐ Una cámara de vídeo	☐ Una colonia	☐ Unos periódicos	☐ Unas plantas
		☐ Unos libros	☐ Unos tomates

2 La **fiesta** de cumpleaños

2.1. Quieres hacer una fiesta sorpresa para un amigo que cumple años y vas a cocinar el plato típico de tu país. Prepara la lista de la compra para ir al supermercado. Clasifica las fotografías de los alimentos que tiene el profesor. ¿A qué sección debes ir a buscar cada cosa (frutería, carnicería, pescadería, panadería, pastelería, charcutería...)?

Ejemplo: *El pan lo compramos en la panadería.*

2.2. 👤📝 **Tu amigo español decide hacer gazpacho para llevar a la fiesta y busca en su libro de cocina; esta es la receta.**

¿Qué ingredientes lleva?	¿Cómo se prepara?
✓ 2 kilos de tomates muy rojos ✓ 1 pimiento verde ✓ 1 kilo de pepinos ✓ 1 cebolla ✓ 2 dientes de ajo ✓ 1/2 barra de pan duro ✓ 4 cucharadas de aceite de oliva ✓ Un poco de vinagre y sal ✓ 2 ó 3 vasos de agua fría	El gazpacho es un plato típico de Andalucía. ¡Es muy fácil! Primero pelas los tomates y los pepinos y los cortas en trozos pequeños junto con el pimiento, la cebolla, el ajo, y el pan duro. Al final, añades el aceite, el vinagre y la sal y bates todo con la batidora. Echas agua fría y/o hielo. ¡Buen provecho!

2.2.1. 🎲 🅰🅱 **Subraya los verbos. ¿Sabes qué significan? ¿Conoces otros verbos relacionados con la cocina?**

2.2.2. 👥 🅰🅱 **En una cocina hay muchas cosas. Ayúdanos a saber qué son y para qué sirven. Por supuesto, usa el diccionario.**

- Usamos la preposición ***para* + infinitivo** cuando queremos marcar la finalidad o el objetivo de algo.
  *La cuchara es **para** comer sopa.*

- Usamos **para qué**, si preguntamos por la finalidad u objetivo de algo.
  *¿**Para qué** lo quieres?*

- ***Para* + nombre** o **pronombre** indica el destinatario o beneficiario de algo.
  *Estas flores son **para** ti.*
  *Este dinero es **para** Intermón.*

Ejemplo: *Es un **delantal**; **para** no ensuciarte la ropa cuando cocinas.*

1. ....
2. ....
3. ....
4. ....
5. ....
6. ....
7. ....
8. ....
9. ....
10. ....

2.2.3. 👤📝 **Ahora, escribe tu receta.**

3 Poderoso caballero, don dinero

3.1. Pregunta a tu compañero cuánto cuestan las cosas de tu cartón.

alumno a

alumno b

3.2. Con 200 euros, ¿qué artículos podéis comprar?

3.3. 👤 ✍ **Lee los siguientes números y completa los que faltan.**

LOS NÚMEROS (2)

100	cien	**900**	novecientos
101	ciento uno	**1000**	mil
200	doscientos	**2015**	dos mil quince
212	doscientos doce	**6000**	seis mil
400	cuatrocientos	**15 000**	quince mil
435	cuatrocientos treinta y cinco	**17 000**	diecisiete mil
500	quinientos	**20 000**	veinte mil
546	quinientos cuarenta y seis	**100 000**	cien mil
600	seiscientos	**500 000**	quinientos mil
607	seiscientos siete	**1 000 000**	un millón
700	setecientos	**5 000 000**	cinco millones
777	setecientos setenta y siete		

3.4. 👥 ✍ **Algunas cosas cambian en algunos países. Contesta al siguiente cuestionario.**

En España, normalmente...	En mi país...		
	Igual	**Parecido**	**Diferente**
Abren las tiendas de 10 a 2 y de 5 a 8 h	☐	☐	☐
"Mediodía" se refiere a la hora de comer (14-16 h).	☐	☐	☐
No está bien preguntar cuánto gana la gente.	☐	☐	☐
Si vamos a visitar a alguien le llevamos un detalle.	☐	☐	☐
Cuando un grupo de amigos toma algo en un bar, uno de ellos invita (paga).	☐	☐	☐
Decimos "Buenas tardes" hasta que llega la noche, independientemente de la hora.	☐	☐	☐

3.4.1. 👥 🗣 **Ahora cuenta al resto de la clase cómo son las cosas en tu país.**

Unidad 9

1 Planes y proyectos

1.1. 👤 📖 **Lee este diálogo.**

Juan: *Oye, ¿qué vas a hacer en Nochevieja?*

María: *Pienso ir a una fiesta que van a organizar unos amigos míos, ¿y tú?*

Juan: *Yo quiero ir al pueblo de mis padres, pero no sé si voy a poder, porque ellos prefieren quedarse aquí.*

María: *Mi familia va a pasar todas las fiestas en el pueblo, pero yo voy a quedarme porque tengo que trabajar.*

Juan: *¿Pero el día 31 debes trabajar?*

María: *Sí, hay que abrir la tienda hasta las dos y mi jefe no puede estar porque tiene que ir a Sevilla para pasar la noche con los suyos.*

Juan: *Bueno, ¿y tú y yo cuándo nos vamos a ver?*

María: *Podemos quedar después de las fiestas. ¿Qué tal el día 10?*

Juan: *Vale, pues entonces hasta ese día.*

1.2. 👥 ✏️ **¿Has visto? En el texto aparecen varios verbos seguidos de infinitivo, por ejemplo:** *vas a hacer*, **pero hay más, búscalos y añádelos a la lista del cuadro.**

```
..........ir a..........⎫
........................⎪
........................⎪
........................⎪
........................⎬ + infinitivo
........................⎪
........................⎪
........................⎪
........................⎭
```

Contenidos funcionales

- Hacer planes y proyectos
- Hacer sugerencias
- Aceptar y rechazar una sugerencia
- Expresar obligación

Contenidos gramaticales

- *Ir a* + infinitivo
- *Pensar* + infinitivo
- *Preferir* + infinitivo
- *Querer* + infinitivo
- *Poder* + infinitivo
- *Hay que* + infinitivo
- *Tener que* + infinitivo
- *Deber* + infinitivo

Contenidos léxicos

- Actividades de ocio y tiempo libre
- Viajes

Contenidos culturales

- Madrid y los madrileños
- Gestos de aceptación y rechazo

1.3. Con estas construcciones expresamos diferentes cosas (deseos, intenciones...) y también nos permiten hablar de acciones en futuro. Vuelve a leer el texto y con la ayuda del profesor escribe en la nube todas las frases que expresen ese tiempo verbal.

Juan expresa futuro cuando dice:

Y María...

Así es, con la perífrasis **IR A + INFINITIVO** podemos hablar de nuestros planes y proyectos, porque expresa un futuro próximo o inmediato; normalmente la acompañamos de las siguientes marcas temporales:

- esta tarde
- esta noche
- este fin de semana
- este verano

- la próxima semana
- el mes que viene
- mañana
- ...

Esta noche voy a ver a Pedro.

Pasado mañana vamos a empezar el trabajo.

¿Vas a comprarte el coche este año?

Sara no va a venir a trabajar hoy.

1.4. Haz estas preguntas a tu compañero.

¿Dónde vas a cenar esta noche?

¿Qué vas a hacer durante la pausa?

¿Vas a salir de copas esta noche?

¿Qué vas a hacer esta tarde?

¿Con quién vas a comer hoy?

¿Vas a leer luego el periódico?

¿Dónde vas a ir después de clase?

¿Qué vas a visitar el fin de semana?

¿Vas a ver una película esta tarde?

¿Vas a llamar a tu familia hoy?

Para expresar la intención de hacer algo en el futuro podemos usar otra forma que has visto en el texto 1.1., se trata de **PENSAR + INFINITIVO**. Mira:

El día treinta y uno pienso ir a una fiesta.

Podemos decir **voy a ir a** una fiesta y, en realidad, expresamos lo mismo, pero ahora conoces una forma más para hablar de tus intenciones, planes y proyectos para el futuro.

1.5. Aquí tienes unas hojas de la agenda de Juan. La información no está muy clara, así que primero pregunta a tu compañero lo que no entiendas.

alumno a

Viernes
- De 10:30 a 14:00, clase de inglés
- A las 17:00, partido de tenis
- A las 22:00, cumpleaños de Pepe

Sábado
- Limpieza en casa y la compra
- Comida con la familia
- A las 22:30, teatro (Historia de una escalera)

Domingo
- Rastro y aperitivo con Andrés
- A las 21:00, cena con Marta

alumno b

Viernes
- De 10:30 a 12:00, clase de inglés
- A las 17:00, partido de tenis
- A las 22:00, cumpleaños de Pepe

Sábado
- Limpieza en casa y la compra
- Comida con la familia
- A las 22:30, teatro ("Historia de una escalera")

Domingo
- Rastro y aperitivo con Andrés
- A las 21:00, cena con Marta

1.6. Y ahora, ¿por qué no redactas lo que va a hacer Juan el fin de semana que viene?

Juan, el viernes por la mañana, piensa...

1.7. Por último, explica a la clase qué vas a hacer tú el próximo fin de semana.

2 La **obligación**.
Sugerir y **recomendar**

Mira de nuevo la agenda de Juan. ¿Puede Juan cenar con Marta el viernes?
Para responder negativamente a **puede** + **infinitivo** justificando la respuesta usamos formas como: *no, es que... / no, no puede porque...* Mira:

> *No, es que el viernes a las diez tiene que ir a un cumpleaños.*

Utilizamos la forma **TENER QUE** + **INFINITIVO** para expresar obligación o recomendar algo enfáticamente. Recuerda los ejemplos que aparecieron en el texto inicial:

> *Voy a quedarme porque tengo que trabajar.*
> *Mi jefe no puede estar porque tiene que ir a Sevilla.*

2.1. Ahora, mirando la agenda de Juan, responde a estas preguntas.

> 1. ¿Puede el sábado por la noche salir de copas?
> 2. ¿Puede el domingo por la mañana jugar al tenis?
> 3. ¿Puede el viernes por la mañana hacer la compra?
> 4. ¿Puede el sábado por la noche visitar a sus padres?
> 5. ¿Puede el domingo por la mañana ir al Museo del Prado?

2.2. Siguiendo el modelo del ejercicio anterior, prepara junto a tu compañero un diálogo y luego presentadlo al resto de la clase. Uno de vosotros es A y el otro B y queréis quedar la semana que viene para tomar un café juntos, pero es difícil porque vuestras agendas están muy llenas.

alumno a

Lunes	A las 5, toros en La Maestranza
Martes	Por la tarde visita a la Giralda
Miércoles	Excursión todo el día a Granada
Jueves	Comida con Luis y, luego, paseo por el Guadalquivir
Viernes	Aperitivo con los compañeros y tarde libre

alumno b

Lunes	Por la tarde examen de lengua
Martes	Tarde de compras con mi madre
Miércoles	Clase de sevillanas a las 16:00
Jueves	Comida y partida de ajedrez con Manolo
Viernes	Mañana en el dentista y tarde libre

2.2.1. Por cierto, ¿en qué ciudad estáis?

2.3. 🧍 📖 **Pero además de TENER QUE + INFINITIVO usamos otras formas para expresar la obligación y hacer recomendaciones. Lee el siguiente texto y encuéntralas.**

Conoce
Madrid

Si quieres conocer bien a los madrileños, tienes que salir mucho, porque la gente de Madrid pasa bastante tiempo en la calle.

Durante la semana, debes ir a los bares donde la gente toma café o una caña con los amigos después del trabajo.

Tienes que desplazarte en los transportes públicos, y debes visitar también algún barrio de la periferia, no sólo el centro.

Para conocer a los madrileños hay que ir a las fiestas de algún barrio, comer un buen cocido, pasear el domingo por el Rastro, tomar el aperitivo en alguna terraza cuando hace buen tiempo y, sobre todo, hay que conocer la noche, porque los madrileños son noctámbulos y, si quieres verlos relajados y alegres, debes tomarte primero varios cafés para luego poder seguirlos en sus itinerarios nocturnos.

2.3.1. 👥 ✏️ **Escribe tú las otras dos formas que aparecen en el texto para expresar obligación y hacer recomendaciones y dos ejemplos de cada una, tomados de los dos textos de la unidad.**

• *Tener que* + infinitivo

　　1. Voy a quedarme porque tengo que trabajar.

　　2. Si quieres conocerlos, tienes que salir...

• ....

　　1. ....

　　2. ....

• ....

　　1. ....

　　2. ....

• **TENER QUE + INFINITIVO**

Utilizamos esta estructura cuando queremos expresar una obligación inexcusable o recomendar algo enfáticamente.

　　– *No puedo acompañarte, porque tengo que ir al médico.*

　　– *Sale de casa a las siete, porque a las ocho tiene que coger un tren.*

• **DEBER + INFINITIVO**

Sentimos la obligación, pero no es inexcusable. Usamos esta estructura también para dar consejo.

　　– *Debo estudiar, pero es que no me apetece.*

　　– *Debes fumar menos.*

• **HAY QUE + INFINITIVO**

Expresamos una obligación impersonal, generalizada.

　　– *Para viajar allí hay que tener un visado.*

　　– *Hay que apretar este botón para apagar el PC.*

2.4.  Escribe, usando las tres estructuras de obligación, qué es necesario hacer para:

Ganar mucho dinero en poco tiempo.

Aprender bien un idioma.

Olvidar pronto un amor.

Conseguir un buen trabajo.

2.5. Escribe tus ideas y dinos qué cosas hay que hacer para conocer bien a la gente de tu ciudad.

3 ¿Qué hacemos?

3.1. [40] Vas a escuchar un diálogo entre dos personas. Fíjate en dos cosas: ¿cuál es el tema de la conversación?, y ¿qué quiere hacer el chico?

El tema es...

El chico quiere...

3.2. 🎧 ✏️ [40] **Vuelve a escuchar el diálogo y fíjate en las expresiones que usan los interlocutores para hacer sugerencias y para rechazarlas. A continuación completa el cuadro que hay debajo.**

Hacer sugerencias	Rechazarlas
1.	
2.	
3.	
4.	

3.3. 👥🗨️(BLA) **Pero si queremos aceptar una sugerencia, ¿qué expresiones podemos usar? Con la ayuda del profesor, rellena los bocadillos.**

3.4. 🎧 ✏️ [40] **Vas a escuchar el diálogo una tercera vez. Fíjate qué países o ciudades se mencionan y por qué se rechaza cada uno de ellos. Toma nota en la siguiente tabla.**

Lugares	Motivo del rechazo
1.	
2.	
3.	
4.	
5.	

3.5. 👫🗨️(BLA) **¿Por qué no practicas junto a tu compañero todas estas expresiones? Podéis haceros sugerencias y aceptarlas o rechazarlas según vuestros intereses. Usad cada una de las expresiones que ya conocéis y poned atención en la entonación.**

¿Por qué no vamos a París?

Vale, vamos a París.

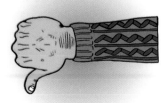

¡Otra vez! No.

3.6. Ahora prepara, con un compañero, un diálogo como el que has oído. Haced sugerencias y dad razones para rechazarlas. No es necesario que lo escribas, solo toma notas en la tabla como has hecho antes.

Un restaurante:	Una película:	Un curso:	Un viaje por Galicia:
☐ Francés	☐ Oeste	☐ Ballet	☐ Tren
☐ Chino	☐ Terror	☐ Guitarra	☐ Autobús
☐ Iraní	☐ Humor	☐ Español	☐ A dedo
☐ Italiano	☐ Musical	☐ Dibujo	☐ Coche
☐ Ruso	☐ Bélica	☐ Internet	☐ Avión
☐ Japonés	☐ Intriga	☐ Chino	☐ Bici
☐ Alemán	☐ Amor	☐ Piano	☐ Moto

Sugerencias:

Respuestas:

AUTOEVALUACIÓN

1. De la siguiente lista, marca las cosas que piensas hacer para aprender mejor español.

☐ Tengo que escribir más

☐ Tengo que hacer más ejercicios gramaticales

☐ Debo escuchar programas y música en español

☐ Voy a viajar a un país de habla hispana

☐ Voy a leer en español

☐ Otros...

2. Cuando no conoces una palabra, normalmente,

☐ ¿Le pides al profesor que la traduzca a tu lengua?

☐ ¿La buscas en el diccionario?

☐ ¿Intentas saber su significado por el contexto (por las palabras de alrededor)?

☐ ¿Pides al profesor una explicación, una palabra similar o una palabra opuesta?

☐ ¿Buscas más palabras similares, de la misma familia?

☐ ¿Piensas si se parece a alguna palabra en tu lengua?

☐ ¿..?

Cuando aprendemos palabras, es importante hacer una frase en la que aparezcan para comprender bien su significado.

Contenidos funcionales

- Hablar de acciones terminadas en un tiempo relacionado con el presente
- Describir o narrar experiencias o situaciones personales
- Disculparse y dar una excusa
- Acciones habituales en contraste con acciones terminadas en un tiempo relacionado con el presente

Contenidos gramaticales

- Morfología del pretérito perfecto: regulares e irregulares
- Marcadores temporales
  - *hoy*
  - *esta mañana, esta tarde...*
  - *este mes, este año...*
  - *alguna vez*
  - *nunca*
  - *ya*
  - *todavía no/aún no*
- Revisión pronombres indefinidos

Contenidos léxicos

- Las actividades cotidianas: la agenda y una página de un periódico
- Turismo

Contenidos culturales

- Turismo en Perú, Honduras, México y Argentina

1 Lucía y su mundo

1.1. 🔲 📝 **Lucía tiene treinta y cinco años, trabaja fuera de casa y vive en un chalé adosado a las afueras de una gran ciudad. Su ritmo de vida es muy estresante. Hoy es jueves por la noche y está agotada. Mira los dibujos y marca qué ha hecho hoy.**

1. Se ha levantado muy temprano.

2. Ha dejado al niño en el colegio.

3. Ha desayunado con unas amigas.

4. Ha abierto su correo electrónico.

5. Ha leído una novela.

6. Ha trabajado mucho en la oficina.

7. Ha tenido una reunión importante.

8. Ha visto a su madre y han comido juntas.

9. Ha llegado tarde a buscar a su hijo.

10. Ha ido en coche a la ciudad.

11. Ha hecho la cena.

12. Ha acostado al niño.

13. Ha salido a cenar con unos amigos.

1.2. 👥 📝 **Las frases que has marcado, se refieren al... Márcalo con una X.**

☐ Presente   ☐ Futuro   ☐ Pasado

1.3. 👥 ✏️ **Este tiempo se llama pretérito perfecto y se refiere al pasado. ¿Sabes cómo se forma? Mira bien la tabla y complétala.**

Pretérito perfecto

Sujeto	Presente del verbo *haber*	Verbos en -AR	Verbos en -ER	Verbos en -IR
Yo	**he**	trabaj**ado**	ten**ido**	sal**ido**
Tú	**has**			sal**ido**
Él/ella/usted		trabaj**ado**		
Nosotros/as	**hemos**		ten**ido**	
Vosotros/as	**habéis**	trabaj**ado**		sal**ido**
Ellos/ellas/ustedes			ten**ido**	

El participio se forma así ➡	**trabaj-**	**ten-**	**sal-**

- Así es, el pretérito perfecto es un tiempo compuesto y se forma con el presente del verbo *haber* más el participio de cualquier verbo.

- El participio, en este caso, es invariable, no tiene género ni número. Observa:

*Él ha **llegado**.*   *Ella ha **llegado**.*   *Ellos han **llegado**.*

1.4. 👥 ✏️ **Pero si lees bien las frases vas a ver que hay algunos participios irregulares. Si los encuentras y los pones en los cuadros, tendrás los participios irregulares del español más usados.**

	Participio
Abrir	
Resolver	resuelto
Poner	puesto
Hacer	
Cubrir	cubierto
Romper	roto

	Participio
Volver	vuelto
Descubrir	descubierto
Escribir	escrito
Decir	dicho
Ver	
Morir	muerto

Usamos el *pretérito perfecto* para:

- **Referirnos a acciones terminadas en presente o en un periodo de tiempo no terminado. Observa.**

    – *Hoy ha sido un día horrible.*   – *Esta mañana he ido a la comisaría.*

    – *Esta tarde he visto a Luis.*   – *Este año he estado en París de vacaciones.*

- Fíjate en estos marcadores temporales, te pueden ayudar a comprender qué entendemos por **tiempo no terminado**:

Hoy		mañana		mes
	cinco minutos	tarde		año
Hace	una hora	Esta { noche	Este {	fin de semana
	un rato	semana		verano
Últimamente				

- Ejemplos:

    – *Esta semana no he ido al cine.*   – *Hoy me ha llamado Silvia.*

    – *Este año no he tenido vacaciones.*   – *Esta mañana ha hecho frío.*

    – *Este mes hemos trabajado mucho.*   – *Hace un rato que he llegado.*

1.5. 👤 🎧 **Ahora vas a escuchar lo que hace habitualmente un chico español. Toma nota**
[41] **en el recuadro de la izquierda de sus acciones cotidianas y en el de la derecha**
de lo que ha hecho hoy. Fíjate en las diferencias temporales.

Habitualmente	Hoy

1.6. 👤 ✏️ **Piensa en cuatro cosas que haces todos los días pero que, hoy, no has hecho y**
escríbelas.

- ....
- ....

- ....
- ....

1.7. 👤 ✏️ **El marido de Lucía, Álvaro, también tiene una agenda muy apretada siempre.**
Hoy es viernes por la noche. Fíjate en lo que ha hecho Álvaro ya esta semana y en lo
que no ha hecho todavía. Y escríbelo en el cuadro de abajo.

	3 Lunes	4 Martes	5 Miércoles	6 Jueves	7 Viernes	8 Sábado	9 Domingo
08:00			VIAJE A BARCELONA				
10:00	Dentista	Reunión de trabajo					
12:00		Gimnasio				ZOO con la familia	Hacer limpieza
14:00	Comida con el jefe			Comer en casa de mis padres			Regar las plantas
16:00		Recoger al niño			Entrevista con el tutor del niño		Ver la última película de Walt Disney con Lucía y el niño
18:00	Niño: judo		VUELTA A MADRID	Niño: inglés			Poner la lavadora
20:00							
22:00		Cena con Luis		Ir al cine con Lucía		Mi fiesta de cumpleaños	
24:00					Bailes de salón		

Ya	Todavía no
Álvaro ya ha ido al dentista.	Todavía no ha regado las plantas.

1.8. 👤 ✏️ **¿Por qué no miras en tu agenda todo lo que has hecho esta semana y se lo cuentas a un amigo por e-mail?**

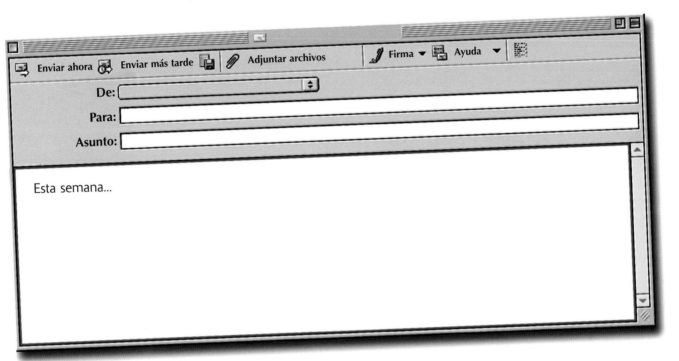

2 Excusas, excusas

2.1. 👤 🎧 **Imagina que has quedado con otras personas, pero todas llegan tarde. Escucha [42] las excusas que te dan y marca en la tabla con una X el motivo del retraso.**

	1	2	3	4
Un accidente en el camino	☐	☐	☐	☐
Una llamada a última hora	☐	☐	☐	☐
Problemas en la oficina	☐	☐	☐	☐
Tardanza del autobús	☐	☐	☐	☐
Enfermedad repentina del niño	☐	☐	☐	☐
Olvido	☐	☐	☐	☐
Encuentro en una librería con un viejo amigo	☐	☐	☐	☐
Una reunión de trabajo	☐	☐	☐	☐

2.1.1. 👤 🎧 **Vuelve a escuchar y comprueba tus respuestas.**
[42] **Para introducir una excusa usamos:**

☐ Lo siento, que...   ☐ Lo siento, porque...   ☐ Lo siento, es que...

2.2. 👥 ✏️ **Hay cuatro motivos que no has oído. Inventa cuatro nuevas excusas para ellos.**

1...   2...

3...   4...

3 La experiencia, madre de la ciencia

También utilizamos **pretérito perfecto** con estos marcadores:

> **ya • aún no • todavía no**

▶ *¿Has escrito la postal?*
▷ *Sí,* ***ya*** *la he escrito.*

▶ *¿Ha llegado Juan?*
▷ *No,* ***aún no*** *ha llegado.*

▶ *¿Habéis comido?*
▷ *No,* ***todavía no*** *hemos comido.*

Y utilizamos normalmente el **pretérito perfecto** en preguntas o informaciones atemporales, por eso suele aparecer con **alguna vez** y **nunca**. Mira los ejemplos:

▶ *¿Has leído este libro?*
▷ *No, no lo he leído.*

▶ *¿Has esquiado alguna vez?*
▷ *No, no he esquiado nunca.*

3.1. **Escribe tres cosas que siempre has soñado hacer y ya has hecho y otras tres que todavía no has podido hacer. Después, cuéntaselo a tu compañero y toma nota de sus respuestas. ¿Coincidís en algo?**

Ejemplo: *Ya he escalado el Everest, pero todavía no he visitado Roma.*

3.2. **Y ahora, piensa en lo que has hecho durante este mes y contesta a estos personajes tan curiosos; por supuesto debes usar *alguna vez, nunca, aún, todavía...***

- ¿Has leído algún libro?
- ¿Has conocido a alguien interesante?
- ¿Has dicho alguna mentira?
- ¿Te has emborrachado?
- ¿Te has enfadado con alguien?
- ¿Has comprado algo para la casa?
- ¿Has hecho algo original?
- ¿Has escrito alguna postal?
- ¿Has hecho algún viaje?
- ¿Has visto alguna película?

> ## Adjetivos y pronombres indefinidos.
>
> | | |
> |---|---|
> | Alguien | ► *¿Me ha llamado alguien por teléfono?* |
> | Nadie | ▷ *No, no te ha llamado nadie.* |
> | Algún/alguno/a/os/as | ► *¿Necesitas algún libro?* |
> | Ningún/ninguno/a/os/as | ▷ *No, no necesito ninguno.* |
> | Algo | ► *¿Quieres algo?* |
> | Nada | ▷ *No, no quiero nada.* |

3.3. 👤 🎧 **¿Te acuerdas de Lucía? Ella admira mucho a su abuelo y ha anotado las cosas**
[43] **que él ha hecho durante su vida para no olvidarlas. Escucha con atención.**

3.3.1. 👤 ✏️ **Ahora contesta y justifica tu respuesta.**

	Sí	No	No sé
1. Ambrosio ha tenido siempre la misma profesión	☐	☐	☐
2. Ha vivido siempre en su pueblo	☐	☐	☐
3. Ha luchado en la guerra	☐	☐	☐
4. Ha ido a un safari	☐	☐	☐
5. Ha tenido dos esposas	☐	☐	☐
6. Ha conocido a sus nietos	☐	☐	☐
7. Ha vivido intensamente	☐	☐	☐

3.4. 👥 💬 **Piensa en alguien a quien admiras y cuenta a tus compañeros las cosas que ha hecho en su vida. Después piensa en alguien a quien desprecias y di también lo que ha hecho. ¿Coinciden sus acciones con las vuestras?**

Ejemplos: *Admiro a... porque...* *Desprecio a... porque...* *Nosotros hemos... como...*

3.5. 👥 💬 **Ahora mira la lista que tienes abajo. Marca con una X tres cosas que te gustaría conocer, probar, ver, leer... y pregunta a tus compañeros si las conocen, han probado, han visto... y qué les han parecido.**

☐ Salamanca
☐ Los caracoles
☐ Las corridas de toros
☐ El museo Dalí de Figueras
☐ Las Cuevas de Altamira
☐ La Semana Santa de Sevilla
☐ El jamón serrano
☐ El Quijote

☐ Una película de Almodóvar
☐ Los Sanfermines
☐ Los frijoles
☐ El Carnaval de Tenerife
☐ El tango
☐ La paella
☐ Perú
☐ El Canal de Panamá

Oye, ¿has probado el jamón serrano?

Sí, lo he probado y me ha gustado, pero no tanto como los caracoles.

3.6. [44] **Ahora escucha lo que cuentan cinco turistas. Toma nota y trata de averiguar, con la ayuda del profesor, a qué ciudades de España se refieren.**

1 La ciudad es...

2 La ciudad es...

3 La ciudad es...

4 La ciudad es...

5 La ciudad es...

3.7. **Vamos a jugar. Imagina que acabas de volver de unas vacaciones en un país. Di a tus compañeros tres cosas que has visto o has hecho allí. Ellos luego te van a hacer preguntas para averiguar dónde has estado.**

3.8. [45] **A continuación vas a escuchar una encuesta sobre las últimas vacaciones. Toma nota, en los recuadros correspondientes, de cuánta gente ha elegido una u otra opción. Las preguntas son:**

A ¿Qué medio de transporte ha usado?
a. Avión ....
b. Tren ....
c. Coche ....
d. Autobús ....
e. Otros ....

D ¿Ha hecho compras?
a. Muchas ....
b. Lo normal......
c. Ninguna ....
d. Recuerdos ....
e. Regalos ....

B ¿Qué tipo de alojamiento ha elegido?
a. Hotel ....
b. Camping........
c. Apartamento..
d. Albergue ......
e. Otros ....

E Aproximadamente, ¿cuánto dinero ha gastado?
a. 600 euros ......
b. 1200 euros ....
c. 1500 euros ....
d. 3000 euros ....
e. 6000 euros ....

C ¿Qué tipo de turismo ha hecho?
a. Cultural ....
b. Playa ....
c. Montaña........
d. Rural ....
e. Otros ....

F Lo que menos le ha gustado de sus vacaciones
a. El viaje ....
b. El tiempo ....
c. El hotel..........
d. La comida ....
e. Otros ....

3.8.1. **Ahora hazles a tus compañeros la misma encuesta referida a algún viaje que hayan realizado recientemente. Haced una puesta en común para saber vuestras preferencias a la hora de viajar.**

El **periódico**

4.1. Vamos a hacer un periódico. Todo periódico se divide en secciones. Por ejemplo, *Internacional*. ¿Podéis indicar otras?

Internacional ....

....

....

....

4.2. Con tus compañeros, comenta lo que ha sucedido últimamente en tu ciudad, en tu escuela, en el mundo.

Este año ....

Este mes ....

Esta semana ....

Hoy ....

4.3. Ahora, clasificad los acontecimientos por secciones: *Cultura, Sociedad, Deportes,* etc.

4.4. Lee esta noticia.

Tres estudiantes desaparecidos

Tres estudiantes de la escuela pública Nuestra Señora de los Misterios han desaparecido esta tarde tras haber encontrado una misteriosa caja azul.

Los estudiantes de segundo curso de la ESO, J.M., M.F. y O.G., de la escuela Nuestra Señora de los Misterios, Murcia, han llegado juntos al centro educativo esta mañana, como todos los días y han encontrado en el patio de la escuela, junto a unas basuras, una misteriosa caja azul. Se la han enseñado a su profesora Dña. Juana Martín Fernández, quien les ha mandado al director para entregarla después de las clases. Los estudiantes, que han salido juntos de nuevo, no han llegado al despacho ni han vuelto a casa. Se desconoce su paradero, así como el de la misteriosa caja.

Ahora contesta a las preguntas:

- ¿Qué ha pasado?
- ¿Quiénes son los protagonistas?

- ¿Dónde ha sucedido el hecho?
- ¿Cuándo ha sucedido?

4.5. Elige una noticia del ejercicio 4.3. y escribe un artículo que recoja la misma información que las preguntas del ejercicio anterior.

4.6. Ahora, entre todos, maquetad el periódico.

Revisión 1-10

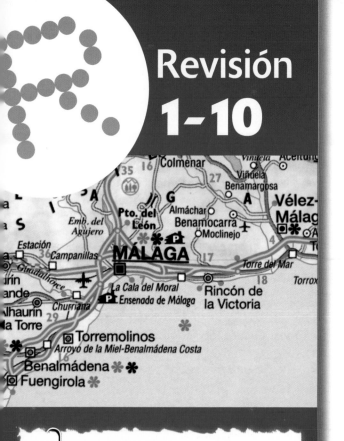

Contenidos funcionales
- Expresar simultaneidad de acciones
- Expresar gustos y preferencias
- Expresar opiniones
- Expresar acuerdo y desacuerdo
- Expresar obligación
- Pedir algo
- Hablar de planes y proyectos

Contenidos gramaticales
- Presente de indicativo
- *Mientras* + presente
- Pronombres complemento
- Verbos referentes al tiempo atmosférico
- Verbos tipo *gustar*
- *Ir a* + infinitivo
- *Poder, tener que, hay que, deber* + infinitivo

Contenidos léxicos
- Números
- El tiempo atmosférico
- Los puntos cardinales
- En la costa, interior, montaña...
- Establecimientos y compras
- Ocio y tiempo libre
- Los viajes, tipo de transportes

Contenidos culturales
- Zonas turísticas de Andalucía

La acampada

1 Aquí tienes cuatro destinos para hacer una acampada en Andalucía (España); infórmate sobre ellos.

Norte

Estación Sol y Nieve
- Puerto de la Veleta, 3 392 metros.
- Cerca de Granada.
- Vistas panorámicas.
- Estación de deportes invernales.
- Ríos y embalses.
- Deportes de aventura.
- Autocares desde Madrid.

Sur

Almuñécar
- Playas.
- Cerca de las Cuevas de Nerja.
- Entre el mar y la sierra de Almijara.
- Windsurf.
- Zona muy turística.
- Trenes y autocares.

Este

Río Adra
- Turismo rural.
- Naturaleza.
- Lejos de ciudades y playas.
- Pequeños pueblos blancos.
- Gastronomía.
- Estaciones termales.
- Solo coche.

Oeste

Vélez-Málaga
- Muy cerca de Málaga.
- Playas naturistas.
- Zona muy turística.
- Parques acuáticos.
- Clubes náuticos.
- Vida nocturna.
- Tren o avión hasta Málaga.

2 [46] Pero antes de elegir, escucha en la radio qué tiempo va a hacer en cada zona y anótalo en el mapa.

3 🔲 ✏️ **Y ahora hay que elegir uno de los cuatro destinos. Tienes cinco minutos para pensar en tus preferencias sobre lugar, clima, actividades y transporte y para tomar algunas notas antes de exponerlas al resto de la clase. Estos ejemplos te pueden ayudar.**

Ejemplo:

– *Yo prefiero ir a la montaña porque la playa no me gusta.*
– *Para mí, es mejor Almuñécar porque en el norte va a hacer muy mal tiempo.*
– *Yo creo que la montaña es mejor porque hay nieve.*
– *Me parece que Vélez-Málaga es más interesante, porque está cerca de Málaga y podemos ir en avión.*

4 🔲 🗨️ **Ahora expón a la clase tus preferencias y conclusiones. Después, discutid para elegir cuál va a ser el destino.**

5 🔲 🗨️ **Ya sabéis dónde vais a ir de acampada y tenéis que hacer los preparativos para el viaje. Primero, haced una lista con las cosas necesarias.**

Debemos / tenemos que / hay que + comprar

- Aspirinas ....   • Linternas ....   • ....
- Guía ....   • ....   • ....
- Mochilas ....   • ....   • ....
- Sacos de dormir ...   • ....   • ....

6 🔲 ✏️ **Y ahora, agrupadlas según las tiendas donde las podéis encontrar.**

Ejemplo: ▷ *¿Dónde podemos encontrar las linternas?*

▶ *Las compramos en los grandes almacenes.*

Farmacia	Agencia de viajes	Supermercado	Tienda de deportes	Grandes almacenes	Otros
				Linternas	

7 🔲 🗨️ **Ya sabéis lo que necesitáis, ahora es necesario repartir las compras porque tenéis poco tiempo antes del fin de semana. Discutidlo en grupo, podéis hacerlo siguiendo este modelo:**

Ejemplo: ▷ *Mientras tú vas a la farmacia, nosotros vamos a la agencia de viajes.*

▶ *Nosotros podemos ir al supermercado y vosotras a los grandes almacenes.*

▷ *Yo prefiero comprar los...*

8 🔲 ✏️ **Y ya solo falta ir a la tienda. Durante diez minutos, junto a un compañero, vais a preparar un diálogo escrito entre el cliente y el dependiente que luego presentaréis al resto de la clase. Por ejemplo, si debes ir a la agencia de viajes:**

▷ *Hola.*
▶ *Buenos días, ¿qué desea?*
▷ *Necesito información sobre Almuñécar, ¿tiene usted alguna guía?*
▶ *Sí, tengo estas dos.*
▷ *¿Cuál es mejor?*
▶ *Las dos son buenas pero esta,* La Costa del Sol, *tiene mapa de carreteras y esta,* Toda Andalucía, *está en español y en inglés.*

▷ *¿Cuánto cuestan?*
▶ La Costa del Sol *cuesta 14,5 euros y* Toda Andalucía, *19 euros.*
▷ *Quiero* La Costa del Sol.
▶ *Aquí tiene.*
▷ *Gracias.*
▶ *A usted.*

Señala la opción correcta o más adecuada:

1.

☐ **a.** Yo soy treinta años. ☐ **b.** Yo tengo treinta años. ☐ **c.** Yo tiene treinta años.

☐ **a.** Los coches es rojo. ☐ **b.** Los coches son rojas. ☐ **c.** Los coches son rojos.

☐ **a.** Es la una de la tarde. ☐ **b.** Son las trece horas. ☐ **c.** Son la una de la tarde

☐ **a.** Pedro ha llegado es la una. ☐ **b.** Pedro ha llegado a la una ☐ **c.** Pedro has llegado a la una.

2. María y yo .... en la playa con Ruth.

☐ **a.** vamos ☐ **b.** hemos ido ☐ **c.** estamos

3. Vosotros.....................ir a la playa, pero nosotros..................... la montaña.

☐ **a.** quieréis/preferimos ☐ **b.** queréis/prefierimos ☐ **c.** queréis/preferimos

4. Todos los días .... a las ocho de la mañana.

☐ **a.** nos levantamos ☐ **b.** levantamos ☐ **c.** levantámonos

5. El niño no quiere .... la medicina.

☐ **a.** tomar ☐ **b.** toma ☐ **c.** tomarle

6. Juan y Pedro .... al fútbol los domingos.

☐ **a.** jugar ☐ **b.** juegan ☐ **c.** jugáis

7. A los españoles .... sobre las diez.

☐ **a.** se cenan ☐ **b.** cena ☐ **c.** les gusta cenar

8. El avión es .... rápido .... el tren.

☐ **a.** más/de ☐ **b.** más/que ☐ **c.** más/como

9. Voy .... casa.

☐ **a.** en ☐ **b.** de ☐ **c.** a

10. El norte de España es .... húmedo.

☐ **a.** muy ☐ **b.** mucha ☐ **c.** mucho

11. Mi hermano .... en la misma empresa.

☐ **a.** sigue trabajar ☐ **b.** sigue a trabajar ☐ **c.** sigue trabajando

12. Si hay rayos, truenos y lluvia, hay ....

☐ **a.** helada ☐ **b.** tormenta ☐ **c.** nieve

13. Mañana .... un examen.

☐ **a.** vamos hacer ☐ **b.** vamos a hacer ☐ **c.** vamos haciendo

14. – ¿Necesitas las gafas para leer?

– Sí, ... necesito.

☐ **a.** los ☐ **b.** les ☐ **c.** las

15. A María .... gusta bailar.

☐ **a.** lo ☐ **b.** le ☐ **c.** la

16. A María y Consuelo .... gusta bailar.

☐ **a.** las ☐ **b.** les ☐ **c.** los

17. ¡Mis discos! ¿A ti? No, no ...., lo siento.

☐ **a.** te los doy ☐ **b.** me los doy ☐ **c.** se los doy

18. Esta mañana .... al mercado con Gabriel.

☐ **a.** estamos ☐ **b.** hemos ido ☐ **c.** vamos

19. Escribe el infinitivo de:

a. roto................ **b.** puesto................ **c.** escrito................ **d.** vuelto................

AUTOEVALUACIÓN AUTOEVALUACIÓN AUTOEVALUACIÓN

1. La revisión me parece: ☐ Fácil ☐ Difícil ☐ Útil ☐ Corta

2. He tenido problemas con: ☐ Los textos ☐ Las audiciones ☐ La preparación del diálogo

3.	He revisado	He aprendido	Necesito estudiar	Otros comentarios

4. Necesito mejorar:

☐ Mi expresión oral ☐ Mi comprensión oral ☐ Mi expresión escrita ☐ Mi comprensión lectora

5. Con mi proceso de aprendizaje estoy:

☐ Satisfecho ☐ Contento ☐ Creo que necesito mejorar ☐ Son muchas cosas y no entiendo nada

AUTOEVALUACIÓN AUTOEVALUACIÓN AUTOEVALUACIÓN

Unidad 11

Contenidos funcionales
- Contrastar y comparar informaciones
- Organizar el discurso y ampliar información
- Expresar opinión, acuerdo y desacuerdo
- Pedir y dar instrucciones sobre lugares y direcciones
- Invitar y ofrecer: aceptar y rehusar

Contenidos gramaticales
- Revisión del presente de indicativo
- Nexos de coherencia y cohesión textual: *y, pero, es decir, en primer lugar*
- Imperativo afirmativo: regulares e irregulares
- Pronómbres de objeto directo e indirecto con imperativo

Contenidos léxicos
- Ocio: vivir la noche
- Expresiones de la jerga juvenil
- La ciudad
- El banco: el cajero automático
- La cabina: llamar por teléfono

Contenidos culturales
- El ocio en España
- Los medios de comunicación en España: la radio y la televisión
- Literatura: Mario Benedetti

1 ¡Vamos de marcha!

1.1. ¿Qué te sugiere esta foto? ¿Dónde van? ¿Qué van a hacer? ¿Qué hora es?... Con tu compañero, haz hipótesis sobre las intenciones de las personas de la foto.

1.1.1. Ahora, lee el siguiente texto.

Tres reporteros salen de marcha por tres ciudades con tres grupos de jóvenes que intentan gastar lo menos posible. El "botellón" tiene tres características: bebes muy barato, puedes charlar y haces turismo. Por eso triunfa en Sevilla. Huesca es un chollo. En Vigo, se dan un homenaje. Es viernes. Empieza la fiesta...

"Son las 23:30 h. Al final somos los de siempre, ocho chicos y tres chicas mayores de 18 años. Vamos al mismo quiosco de todos los fines de semana y compramos las bebidas. Cada uno pone 4,20 euros para el bote. Así empieza la noche en cualquier plaza o calle, esperando que esta sea la noche de nuestras vidas". (Adaptado de *El País de las Tentaciones*, suplemento semanal de *El País*.)

1.1.2. ¿Has entendido el texto? Discute con tu compañero qué titular te parece más adecuado para este artículo.

| En Vigo empieza la fiesta | La noche en los bolsil |

| El chollo de Huesca lleva a tres reporteros a salir de marcha | La estrella de TV conocida po "El Botellón" triunfa en Sevi |

1.1.3. 🙍 🔤 **Relaciona.**

1 Reportero	•	•	**a**	Periodista
2 Salir de marcha	•	•	**b**	Término juvenil para hablar de la bebida
3 Gastar	•	•	**c**	Hablar
4 Charlar	•	•	**d**	Usar dinero para algo
5 Chollo	•	•	**e**	Muy barato
6 Darse un homenaje	•	•	**f**	Divertirse
7 "Botellón"	•	•	**g**	Darse un capricho

1.1.4. 🙍 ✏️ **Subraya los verbos del texto y separa en dos columnas los verbos regulares de los irregulares.**

regulares	irregulares

1.2. 👥 🗨️ **Ahora, vas a escuchar a dos jóvenes hablando sobre lo que hacen en un día normal. Antes, decide si las siguientes afirmaciones son verdaderas o falsas. Luego, escucha y comprueba tus respuestas.**

	Verdadero	Falso
1. La mayoría de los jóvenes españoles estudia.	☐	☐
2. Todos los jóvenes españoles viven independientes.	☐	☐
3. Los bares, discotecas, etc., cierran a las 12 de la noche.	☐	☐
4. Los jóvenes españoles no tienen mucho interés en divertirse.	☐	☐
5. Los jóvenes buscan trabajos para tener dinero y poder salir.	☐	☐

1.2.1. 🙍 🎧 **Ahora, escucha y comprueba las respuestas.**
[47]

1.2.2. 👥 🗨️ **¿Hacéis vosotros lo mismo? ¿Qué os llama la atención? Comentad las diferencias.**

1.2.3. 🙍 📖 **Ahora, lee el diálogo que acabas de escuchar y subraya los verbos irregulares que aparecen en presente de indicativo.**

Entrevistadora: Bueno, Pablo, cuéntame qué haces en un día normal.

Pablo: Estudio y trabajo. ¡Es muy duro! Entre semana duermo poco porque tengo que levantarme a las seis de la mañana para ir a la facultad. Por la tarde, si puedo, vuelvo a casa para comer: ¡No hay nada como la comida de casa! Salgo de nuevo a las cuatro y voy a mi trabajo.

Entrevistadora: ¿Y los fines de semana?

Pablo: ¡Ah! Eso es distinto. Me levanto tarde... Bueno, tarde..., a las diez o así. Algunas veces doy una vuelta con mis amigos antes de comer o vienen a mi casa. Por la tarde, prefiero no salir porque a las once empieza la marcha.

CONTINÚA ┅┅┅

Entrevistadora: ¿Hasta qué hora?

Pablo: Ehhh..., bueno, tarde, hasta las seis o las siete de la mañana.

Entrevistadora: Sí, es bastante tarde. Bueno, y tú, Laura, ¿qué haces un día normal?

Laura: Yo no quiero trabajar durante la semana. Prefiero dedicar todo el tiempo a estudiar. Hago Económicas en la Universidad Autónoma. De todas formas, los fines de semana trabajo en un supermercado de cajera. Así, con lo que me pagan, no pido dinero a nadie.

Entrevistadora: Entonces, ¿los fines de semana no sales?

Laura: Sí, por la noche. Solo que no puedo estar hasta las seis como Pablo porque al día siguiente me tengo que levantar pronto. ¡Pero me divierto mucho, ¿eh?! Lo que me gusta es ir a sitios nuevos porque así conozco a otra gente. Si no, es un rollo.

Entrevistadora: ¿Estáis contentos con vuestra vida?

Pablo: Yo sí estoy contento, la verdad. Vivo con mi familia, pero no se meten en mi vida. Hago lo que quiero... No sé... Si las cosas siguen así, al terminar la carrera..., sabes que estudio Informática en la universidad, ¿verdad?, cojo un pequeño local y me pongo por mi cuenta.

Laura: ¡Qué deprisa vas! Eres un optimista. Yo no veo las cosas tan claras. El trabajo está muy mal y...

1.2.4. **Comprueba con tu compañero si tenéis los mismos verbos. Ahora, clasificadlos en el cuadro siguiente según su irregularidad. Tienes un modelo de cada uno para ayudarte.**

Irregularidad vocálica e>ie	Irregularidad vocálica o>ue	Irregularidad vocálica e>i	Irregularidad en primera persona singular
cerrar > cierro	acostarse > me acuesto	servir > sirvo	traducir > traduzco

Más de una irregularidad	Totalmente irregulares	Irregulares ortográficamente
oír > oigo, oyes...	ser > soy	proteger > protejo

Recuerda:

· Irregularidad en la 1.ª persona: *hacer, poner, traer, saber, salir, dar, conocer, producir...*
· Más de una irregularidad: *tener, oír, decir, venir, oler...*
· Irregularidad total: *ir, ser...*

1.2.5. **Ahora, corregidlo en la pizarra con el resto de la clase.**

2 ¿Pagamos **a pachas**?

2.1.  **Responde a estas preguntas antes de leer el texto y comprueba después de la lectura si has acertado. Justifica tus respuestas.**

	Antes de leer	Después de leer
1. ¿Crees que los españoles se divierten todos de la misma manera?		
2. ¿Van todos a los mismos sitios?		
3. ¿A qué hora crees que suelen empezar los adultos sus noches de marcha?		
4. ¿Qué quiere decir "poner bote"?		
5. ¿Coinciden en alguna afición jóvenes y adultos?		

2.1.1. **Ahora, lee el siguiente texto.**

Dos mundos de diversión

Según los datos proporcionados por la empresa ENCUESTEL, S.A. sobre una encuesta realizada en varias ciudades españolas, la forma de divertirse de los jóvenes y adultos es muy diferente.

Tanto unos **como** otros prefieren salir a quedarse en casa; la diferencia estriba en la hora de volver. Los adultos suelen volver sobre las dos o tres de la mañana, **en cambio**, los jóvenes optan por aprovechar hasta la mañana siguiente, **así que** la mayoría suele cenar en casa para poder gastar libremente el poco dinero que tienen, o que sus padres les dan, en la larga noche que les espera, "haciendo botellón" en las calles y plazas, para rematar la noche en un pub o en una discoteca.

En segundo lugar, los que van llegando a los treinta y los más mayores prefieren ir a cenar con los amigos a un restaurante, o bien tapear en medio de conversaciones que se entremezclan unas con otras y que dan comienzo a una noche llena de vida. **Por esta razón**, suelen reunirse antes, a eso de las nueve o las diez de la noche, principalmente porque les gusta salir a cenar a un restaurante. Cena, tapas, pinchitos..., el adulto siempre acompaña sus copas con algo de comida.

Además, son diferentes los locales a los que acuden. **Por un lado**, jóvenes y treintañeros van de copeo a bares, discotecas y, como señalábamos más arriba, muchos al aire libre. Estos locales se encuentran en zonas peatonales que permiten ir de bar en bar sin andar mucho.

Por otro lado, los adultos prefieren lugares cerrados (excepto en verano, donde todos, sin distinción de edades, acuden a las terrazas), **es decir,** ambientes más tranquilos, para poder charlar y pasar una noche agradable con los amigos.

A lo que no se resiste ningún grupo de edad es a la afición por el cine; la sesión preferida es la de la noche.

Y, de igual manera que hay distintas maneras de diversión, **también** hay diferentes costumbres a la hora de pagar. Está el "bote", forma de pago frecuente entre jóvenes y adultos que consiste en aportar una cantidad establecida por todo el grupo para pagar lo que se consume. Pagar a medias, o "a escote", es más bien para cuando van a comer o cenar en grupo. Si se trata de consumiciones más pequeñas, lo normal es que unas veces invite uno y después otro: está mal visto pagar cada uno su consumición y además es más práctico y cómodo, **aunque** existe el peligro de que alguno no pague en toda la noche.

En definitiva, para los jóvenes y adultos cada fin de semana es único; unos disfrutarán del cine, otros tapeando o bailando, **pero** la mayoría sale a la calle y se divierte.

2.1.2. 👤 📝 **Aquí tienes tres definiciones de algunos términos y expresiones que aparecen en el texto. Solo una es correcta. Puedes usar el diccionario.**

1. Optar por
   - ☐ a. Elegir
   - ☐ b. Obligar a alguien a hacer algo
   - ☐ c. Rechazar algo

2. Hacer botellón
   - ☐ a. Botella grande
   - ☐ b. De la palabra bote: dar un gran salto
   - ☐ c. Una forma de diversión de los jóvenes

3. Ir de copeo
   - ☐ a. Ganar trofeos
   - ☐ b. Beber vasos de vino u otros
   - ☐ c. Tener una colección de copas

4. Tapear
   - ☐ a. Cubrir
   - ☐ b. Cerrar la parte superior de un recipiente
   - ☐ c. Tomar aperitivos

5. Poner bote
   - ☐ a. Forma de pago
   - ☐ b. Guardar algo
   - ☐ c. Poner algo en una lata

6. Rematar
   - ☐ a. Volver a matar
   - ☐ b. Terminar algo
   - ☐ c. Empezar algo

7. Invitar
   - ☐ a. Celebrar algo
   - ☐ b. Pagar la consumición
   - ☐ c. Tomar una consumición

8. Pagar a escote
   - ☐ a. Pagar algo a plazos
   - ☐ b. Pagar cada uno su consumición
   - ☐ c. Pagar a medias

2.1.3. 👥 ✏️ **Hay palabras que sirven para organizar y unir el discurso. En el texto 2.1.1. tienes varias de estas palabras en negrita. Con tu compañero, clasifícalas según la función que creéis que realizan.**

SIGNIFICADO	NEXOS
Comenzar el discurso	
Añadir información	
Introducir una idea contraria	
Expresar consecuencia	
Aclarar la información	
Ordenar las ideas	
Comparar	
Finalizar el discurso	

2.1.4. 🔲 🔲 **Ahora, clasificad estos otros nexos en el cuadro anterior. Podéis consultar el diccionario. Luego, comparad el resultado con el resto de la clase.**

- Por una parte... por otra (parte)
- Finalmente
- De esta manera
- En resumen
- Por tanto
- Más... que

- Menos... que
- Asimismo
- Sin embargo
- O sea
- Por el contrario
- Para empezar

2.1.5. 🔲 🔲 **Completa.**

- Para organizar un discurso o un texto utilizamos las palabras **(1)** .... para introducir un tema.

- A continuación, si se quiere ordenar la información empleamos los nexos **(2)** ....

- Si necesitamos añadir información, lo hacemos mediante las palabras **(3)** .... Para oponer información usamos los nexos **(4)** .... Para explicar algo de lo que se ha dicho anteriormente lo señalamos con **(5)** .... Si queremos continuar con nuestra explicación o aportar una consecuencia empleamos las palabras **(6)** ....

- Para comparar podemos utilizar **(7)** ....

- Para terminar nuestro discurso lo hacemos mediante los términos **(8)** ....

2.2. 🔲 🔲 **¿Os han sorprendido los datos de la encuesta del artículo del apartado 2.1.1.? ¿En vuestro país hay también diferentes formas de divertirse según la edad? En grupos, discutid este punto. Uno de vosotros será el portavoz para tomar notas de las ideas más importantes a las que ha llegado el grupo. Haced una puesta en común con el resto de los grupos para llegar a una conclusión final.**

2.2.1. 🔲 🔲 **Imaginad que sois redactores de un periódico para jóvenes de vuestro país. Escribid un pequeño artículo con los datos del ejercicio 2.2. No olvidéis usar los nexos que habéis aprendido para que el texto tenga sentido. Corregidlo con el profesor y elegid el mejor artículo.**

- **Para dar una opinión podemos decir:**

  (Yo) **creo que / pienso que**

  Para mí,

  (A mí) **me parece que**   } + opinión

  En mi opinión,

  Ejemplo: *Para mí, estudiar lenguas es muy positivo.*

- **Para pedir una opinión:**

  ¿Tú qué crees?

  ¿Qué opinas de + tema?

  ¿Qué te parece/n...?

2.3. 👤📖 **Vamos a leer las opiniones de tres personas sobre los días festivos en España. Después, contesta a las preguntas del ejercicio 2.3.1.**

¿Hay demasiados días festivos en España?

1.

En España hay muchos días festivos y eso no es lo más grave. Lo peor es que están desorganizados y esto es malo para la economía. Con los "puentes" y "viaductos" España pierde mucho dinero.

José María Cuevas (presidente de la CEOE)

2.

De los países de la Unión Europea, solo Italia tiene más fiestas que España. Pero esto no quiere decir nada, porque si contamos el número de horas efectivas de trabajo, España está entre los cinco primeros países.

Juan Ariza (secretario de Estudios de CC.OO.)

3.

De acuerdo con el Vaticano, el Estado reconoce como días festivos todos los domingos y siete fiestas nacionales de carácter religioso. Luego, las comunidades autónomas y los ayuntamientos eligen otras dos que normalmente son religiosas también. Creo que en total no son tantas.

Jesús de las Heras (jefe de prensa de la Conferencia Episcopal)

Textos adaptados de *QUO*

2.3.1. 👥💬 **Tenemos tres opiniones diferentes sobre las fiestas:**

■ ¿Quién cree que no son demasiadas?

■ ¿Quién piensa que son muchas?

■ ¿Quién opina que lo importante son las horas de trabajo y no los días de fiesta?

2.3.2. 👥💬 **¿Qué opinión tenéis de estos temas?**

3 ¡¿Mande?!

🔍 Esta nueva forma verbal se llama imperativo.

3.1. 👥✏️ **Con tu compañero, relaciona los dibujos con las frases.**

1 Mira, mira.

2 ¡Sácate el dedo de la nariz, Juan, por favor!

3 Beba agua, duerma mucho, haga ejercicio.

4 Pasen, pasen, adelante.

5 Coge la línea 2 hasta Sol.

3.1.1. ⊞ 🖉 **Clasifica las frases del ejercicio 3.1. según su uso.**

☐ Dar instrucciones, explicaciones   ☐ Invitar a hacer algo

☐ Dar consejos   ☐ Llamar, captar la atención

☐ Dar órdenes, mandar

3.2. 👤 📖 **Lee estos tres diálogos.**

1
► *Perdone, ¿dónde está la Plaza Conde Valle de Suchil?*

► *Está muy cerca. Mire, coja la primera calle a la derecha hasta la calle Vallehermoso, que está a la izquierda, y luego, la primera a la derecha. A la derecha está la plaza.*

2
► *Oye, perdona, ¿hay una estación de metro por aquí?*

► *Sí, primero coge Alberto Aguilera. Luego sigue todo recto hasta la Plaza de Ruiz Jiménez, cruza y enfrente está la boca de metro.*

3
► *Por favor, ¿para ir a la calle Arapiles?*

► *Pues, está un poco lejos. A ver... tenéis que tomar la calle Alberto Aguilera hasta Ruiz Jiménez. Después seguid la calle San Bernardo, hacia la izquierda, para tomar la calle Magallanes. Al final de esa calle está Arapiles.*

3.2.1. ⊞ 🖉 **En estos diálogos aparece el imperativo. ¿Por qué no buscáis todos los verbos en imperativo y completáis, con la ayuda del profesor, el siguiente cuadro?**

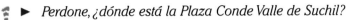
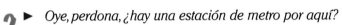

	-AR	-ER	-IR
Tú		coge	
Vosotros/as			seguid
Usted	perdone		
Ustedes	perdonen	cojan	sigan

Usamos el *imperativo...*

* **...para dar instrucciones**
  – *Coge la línea 2 hasta Sol.*

* **...para dar órdenes**
  – *Sácate el dedo de la nariz.*

* **...para dar consejos o hacer sugerencias**
  – *Bebe agua, duerme mucho.*

* **...para llamar la atención**
  – *Mira, mira.*

* **...para invitar u ofrecer**
  – *Pasen, pasen.*

* **...y sus terminaciones son las que has escrito en el cuadro anterior. Recuérdalas:**

	-ar	-er	-ir
Tú	-a	-e	-e
Vosotros/as	-ad	-ed	-id
Usted	-e	-a	-a
Ustedes	-en	-an	-an

* **Pero también hay verbos irregulares en el imperativo, los tienes en el recuadro de abajo. La persona *vosotros* en imperativo es siempre regular.**

Oír	oye	Salir	sal	Venir	ven	Tener	ten
Hacer	haz	Poner	pon	Decir	di	Ir	ve

3.3. **Completa el cuadro de los verbos irregulares.**

> oíd • haz • haced • hagan • sal • oigan • venid • digan • id • pon • tened • pongan
> salga • oiga • salgan • vaya • venga • tenga • di • ponga • decid • ve • tengan

	hacer	salir	poner	tener	ir	venir	decir	oír
Tú				ten		ven		oye
Vosotros/as		salid	poned					
Usted	haga						diga	
Ustedes					vayan	vengan		

¿Has visto? También son irregulares en imperativo todos los verbos que en presente tienen irregularidades vocálicas (e-ie, o-ue, e-i). Fíjate bien:

c**ie**rra - p**i**de - c**ue**nta - emp**ie**za - v**ue**lve

3.4. **Lee los diálogos del ejercicio 3.2. y completa el cuadro con palabras de los textos.**

Lejos	Esquina	Girar
		Tomar
A la derecha	____ metro	
Todo recto		
Enfrente	Bocacalle	Estar
Hacia		Ir

3.5. **Pregunta a tu compañero cómo ir a:**

- Su casa
- Un cibercafé
- Un supermercado
- Una parada de autobús
- Un cine

3.6. **¿Recuerdas los pronombres personales? Relaciona las frases.**

1	Cruza la calle	•	•	a	Pása**las**
2	Cruza el parque	•	•	b	Crúza**lo**
3	Pasa los edificios	•	•	c	Crúza**la**
4	Pasa las casas	•	•	d	Pása**los**

Fíjate que en español los pronombres complemento (directo e indirecto) cuando van con un imperativo afirmativo siempre se utilizan detrás del verbo y se escriben unidos a él.

Coge el metro ➜ *cóge**lo***

Preguntad las direcciones ➜ *preguntad**las***

Dé la tarjeta al inspector ➜ *de**le** la tarjeta*

3.7. [48] Seguro que te has preguntado alguna vez cómo funciona una cabina telefónica en España. Si escuchas con atención y relacionas los elementos de las tres columnas, pronto lo vas a saber.

Ejemplo: *Primero, descuelgue el auricular, a continuación...*

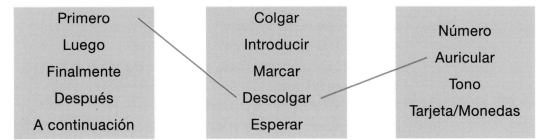

Primero	Colgar	Número
Luego	Introducir	Auricular
Finalmente	Marcar	Tono
Después	Descolgar	Tarjeta/Monedas
A continuación	Esperar	

4 Políticamente **correctos**

4.1. Relaciona.

1 ¿Puedo entrar? •	• a No, es que lo necesito.
2 ¿Me dejas usar tu libro? •	• b Sí, claro, entra.
3 ¿Se puede fumar aquí? •	• c No, aquí no se puede.

• **Para pedir permiso u objetos**

−¿*Puedo* + **infinitivo**...?

−¿*Me dejas* + { **infinitivo**...?
{ **sustantivo**...?

−¿*Se puede* + **infinitivo**...?

• **Para concederlo**

−*Sí, claro.*

−*Sí, por supuesto.*
−*Sí, cómo no.*

−*Sí, sí, se puede...*
−*Sí,* + **imperativo**

• **Para denegarlo**

−*No, lo siento, es que...*

−*No, es que...*

−*No, no puedes, porque...*
−*No, no se puede...*

4.2. Aquí tienes algunas situaciones en las que puedes pedir permiso, concederlo o denegarlo. Ahora prepara un diálogo con tu compañero y preséntalo luego al resto de la clase.

Es la primera vez que viajas en avión y quieres cambiar la posición del asiento, visitar la cabina, desabrocharte el cinturón, fumar un cigarrillo, ir al servicio, abrir la ventanilla y ponerte el chaleco salvavidas.

Estás en una fiesta de cumpleaños y quieres cambiar el disco, subir el volumen de la música, tomar otra cerveza, abrir la ventana, apagar la calefacción, bailar sobre la mesa del salón y tomar otro trozo de tarta.

Estás en casa de un amigo y quieres jugar con su ordenador, fumar un cigarrillo, tomarte un café, poner los pies en el sofá, bajar un poco la persiana, cambiar el canal de televisión y preparar la cena.

Estás en un taxi y quieres subir la ventanilla, encender el aire acondicionado, comerte un bocadillo, fumar un puro, cambiar la emisora de radio, coger un plano de la ciudad y pagar con tarjeta de crédito.

Es tu primer día de trabajo y necesitas hacer una llamada, entrar al despacho del director, coger papel para la fotocopiadora, salir a desayunar, imprimir un documento, cerrar la ventana y encender la calefacción.

4.3. 🧑 🎧 **La directora de una escuela de español explica a los estudiantes nuevos el fun-**
[49] **cionamiento del centro. Escucha y marca las reglas que oigas.**

☐ **1.** Se puede usar Internet hasta las 8 de la tarde.
☐ **2.** No se puede comer ni beber alcohol en clase.
☐ **3.** No se puede recibir visitas.
☐ **4.** Se puede llamar por teléfono desde recepción.
☐ **5.** No se puede tener conectado el teléfono móvil durante las clases.
☐ **6.** No se puede fumar.
☐ **7.** Se puede tomar café, agua o refrescos.
☐ **8.** Se puede ver películas de video los sábados por la mañana.
☐ **9.** No se puede poner los pies encima de la mesa.

4.4. 🧑 📖 **Lee y comprueba tus respuestas.**

Buenos días a todos y bienvenidos a Salamanca. Mi nombre es Concepción Rodríguez Santos y soy la Directora académica de esta escuela. Si necesitáis algo, podéis encontrarme de 9 a 2 y de 4 a 6 en el despacho B12. Quiero además aprovechar la ocasión para daros información sobre el funcionamiento de nuestro centro.

En la carpeta de información podéis encontrar las normas que hay que seguir dentro del centro. No se puede fumar en todo el recinto. No se puede comer ni beber alcohol en la clase, pero se puede tomar café, agua o refrescos. No se puede tener conectado el teléfono móvil durante las clases, para no moles-tar al profesor ni a los compañeros. Por supuesto, no se puede poner los pies encima del mobiliario, ni sobre las sillas ni sobre las mesas.

Otra cosa importante es que tenemos una sala de Internet para uso de los estudiantes que se puede usar durante las pausas, y después de las clases hasta las 8 de la tarde.

Y esto es todo. Muchas gracias y buena suerte en Salamanca.

Para invitar y ofrecer

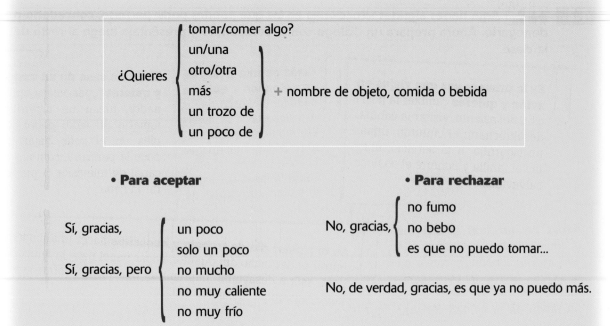

¿Quieres {
tomar/comer algo?
un/una
otro/otra
más
un trozo de
un poco de
} + nombre de objeto, comida o bebida

• **Para aceptar**

Sí, gracias, {
un poco
solo un poco

Sí, gracias, pero {
no mucho
no muy caliente
no muy frío

• **Para rechazar**

No, gracias, {
no fumo
no bebo
es que no puedo tomar...

No, de verdad, gracias, es que ya no puedo más.

4.5. 🧑🎧 **Escucha la siguiente conversación entre Paula y Elena y responde.**
[50]
• ¿Qué cosas le ofrece Elena a Paula?
• ¿Qué formas usan para *ofrecer, aceptar* y *rechazar*?

4.5.1. 🧑📖 **Ahora lee y comprueba si has comprendido bien.**

Paula: *Mmm, ¡qué bien huele! ¿Qué estás haciendo?*
Elena: *Nada, preparar unas cosillas, ¿no te acuerdas de que hoy vienen Javier y Cristina?*
Paula: *Anda, es verdad. Te ayudo.*
Elena: *No, mujer, deja, deja, si ya está.*
Paula: *Pero qué dices, si está la cocina patas arriba, ¿qué hago?, ¿friego?*
Elena: *Bueno, si quieres...*
Paula: *Por cierto, ¿qué es eso? Tiene una pinta fantástica.*
Elena: *Es una receta de mi madre, pimientos rellenos. Pruébalos, ya verás.*
Paula: *No, no, después.*
Elena: *No seas tonta, mujer, coge, coge, que hay suficiente.*
Paula: *Vale, gracias... mmm... ¡qué buenos!*
Elena: *¿Quieres un poco de vino mientras vienen?*
Paula: *Bueno, sí, pero solo un poco.*
Elena: *Coge un canapé de salmón, que están muy buenos.*
Paula: *No, de verdad, gracias, que luego tenemos que cenar.*

🔍 ¿Has visto? Elena le dice a Paula ***coge, coge***. Esto es porque en español a menudo repetimos el imperativo cuando ofrecemos o permitimos algo a otra persona. Fíjate:

▷ *¿Me dejas tu libro?*   ▷ *¿Puedo entrar?*
► *Toma, toma.*   ► *Entra, entra.*

4.6. 👥🗣 **Ahora imagina que has organizado una fiesta con tus compañeros y que cada uno ha preparado algunas cosas para tomar. Elige dos de las que tienes abajo y ofré-cesélas a los demás, ellos las van a aceptar o rechazar según sus gustos.**

• Vino	• Pasteles	• Jamón	• Pizza
• Patatas fritas	• Bombones	• Queso	• Ensalada
• Chorizo	• Coca-Cola	• Sangría	• Canapé
• Aceitunas	• Pan	• Cerveza	• Gazpacho
• Tortilla	• Tarta	• Zumo de frutas	• Cubata

AUTOEVALUACIÓN

AUTOEVALUACIÓN · AUTOEVALUACIÓN · AUTOEVALUACIÓN

1. **¿Qué contenidos crees que necesitas repasar de esta unidad?**

• ....

• ....

2. **Puedo hablar y escribir sobre:**

☐ Cómo son mi familia y mis amigos
☐ La ciudad o el pueblo donde vivo
☐ Ir de compras
☐ Costumbres de los españoles
☐ Describir y ubicar objetos de mi clase o de mi casa
☐ Hablar de lo que hago normalmente
☐ Hablar de lo que he hecho recientemente

☐ Explicar el clima y el tiempo que hace en mi ciudad
☐ Dar instrucciones para llegar a un lugar
☐ Explicar cómo preparar un plato típico
☐ Hablar de experiencias personales
☐ Expresar planes y proyectos de futuro
☐ Aceptar y rechazar invitaciones
☐ Otros

AUTOEVALUACIÓN · AUTOEVALUACIÓN · AUTOEVALUACIÓN

Unidad

12

Contenidos funcionales

- Identificar, definir y describir personas, objetos y lugares
- Localizar personas, objetos y lugares
- Agradecer (por escrito)
- Saludar, responder al saludo y despedirse. Poner excusas
- Manifestar cómo se encuentra uno
- Mostrar desacuerdo
- Hablar por teléfono

Contenidos gramaticales

- Contraste *ser/estar*
- Verbos de movimiento con preposición *(a, de, en)*:
  - *ir/venir*
  - *irse/llegar*

Contenidos léxicos

- Léxico de las relaciones sociales

Contenidos culturales

- El saludo en España. Despedirse a la española
- Comunicación no verbal: gestos relacionados con el saludo
- Literatura: Lope de Vega
- Los "asustaniños" en el mundo hispano

1 ¿**Está** Pedro?

1.1. Contesta a las preguntas y comenta las respuestas con tus compañeros.

- ¿Te gusta hablar por teléfono?
- ¿Has hablado por teléfono en español alguna vez?
- ¿Qué dificultades tienes en una conversación telefónica?
- Además del teléfono, ¿qué medios usas con frecuencia para comunicarte con amigos y colegas?
- ¿Crees que el teléfono puede sustituir una conversación en persona?

1.2. Las siguientes frases y expresiones son fórmulas que usamos habitualmente cuando hablamos por teléfono. Con tu compañero, clasifícalas en el cuadro según su función dentro de la conversación. De todas estas expresiones, hay dos que tan solo se utilizan en los países latinoamericanos de habla hispana. ¿Sabes cuáles son?

¿Está Javier?	Hola
¿Se encuentra Marga?	Buenos días
¿Aló?	Bueno, te dejo
¿De parte de quién?	Dígame
¿Quién lo llama?	¿Sí?
Nos vemos	Hasta luego
Buenas tardes, ¿podría hablar con la Sra. Rodríguez?	Pues eso es todo. Muchas gracias

Saludar	Despedirse

Contestar al teléfono	Preguntar por alguien	Preguntar por la identidad de la persona que llama

1.3. 🔲 🎧 **Vas a escuchar una conversación telefónica, pero antes completa el diálogo con**
[51] **algunas de las expresiones del ejercicio 1.2. ¿Coincide tu versión con la audición?**

▷ ....

▶ ¡Hola!, soy Nuria.

▷ Hombre, Nuria, ¿cómo estás?

▶ Bien, bien. Bastante liada... ya sabes... como siempre. ¿Y tú?, ¿qué tal?

▷ Pues yo, ahora, estoy mucho más tranquila. ¡Ah!, claro, no lo sabes, pero ya estoy trabajando desde casa y la verdad es que es más relajado. Me encanta.

▶ Eso es estupendo. Oye, ...

▷ Pues no, hija. Todavía no ha llegado. Seguro que está aún en la oficina, ¿le digo algo?

▶ Que es pesadísimo y que me llame alguna vez, que soy su hermana.

▷ Vale. Oye, ¿vienes el sábado a comer?

▶ No, no, venís vosotros a casa, que tengo una sorpresa...

▷ ¡Uy!, ¡qué misterios! Venga, vale, ... el sábado.

1.3.1. 👥 ✏️ **Subraya todos los verbos *ser* y *estar* del texto y fíjate con qué palabras aparecen. Después, completa el cuadro con tu compañero y tendréis los usos de *ser* y *estar*.**

Ser

- **Sirve para:**
  - Identificar:
    Soy Nuria.

(1)

  - Decir la nacionalidad:
    Es danés.

  - Decir la profesión:
    Somos médicos.

  - Hablar de características inherentes a una cosa, lugar o persona:
    El cielo es azul.

    Buenos Aires es grande.

    Mi amiga es alta.

  - Valorar un hecho, una cosa o a una persona:
    Trabajar en casa es más relajado.

(2)
(3)

  - Decir la hora:
    Son las diez de la mañana.

  - Marcar una fracción o periodo de tiempo:
    Es de día.

    Es lunes.

    Es primavera.

  - Referirse a la celebración de un acontecimiento o suceso:
    La fiesta es en mi casa.

Estar

- **Sirve para:**
  - Ubicar o localizar cosas, lugares y a personas:

(a) ¿	?
(b)	

  - Hablar del estado físico y de ánimo:
    Está deprimido.

(c) ¿	?
(d)	

  - Marcar el resultado de una acción o el fin de un proceso:
    La puerta está abierta.

    Está muerto.

  - Con gerundio, marca una acción en desarrollo:
    Marta está durmiendo.

(e)

  - Precede a *bien* y *mal*:
    La carta está bien.

    Los ejercicios están mal.

  - Con la preposición *de* indica un trabajo temporal:
    Está de camarero.

  - En primera persona de plural se usa para situarnos en el tiempo:
    Estamos a 3 de mayo.

    Estamos en otoño.

1.4. 👪 🅒 **Tira el dado y di si la frase es correcta.**

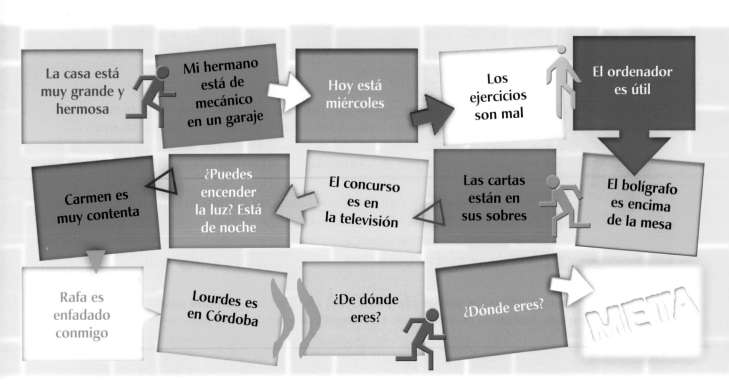

1.5. 👫 🄰🄱 **Ahora, coloca los adjetivos en su lugar y tendrás la diferencia de significado con** *ser* **o** *estar*.

> malo/a • listo/a • claro/a • verde • negro/a
> bueno/a • rico/a • cerrado/a • abierto/a

Ser **Estar**

Ser		Estar
Una cosa de buena calidad >	bueno/a	< Una comida o producto de buen sabor
Una persona honesta >		< Una persona atractiva
Una persona inteligente >		< Una persona o cosa que está preparada para algo
Color de las plantas y otras cosas >		< Algo inmaduro o alguien inexperto
Algo que es evidente >		< Una explicación o concepto sencillo
Persona con mal carácter y malas intenciones >		< Persona enferma / < Cosa en malas condiciones, estropeada
Cosa de mala calidad >		< Alimento de mal sabor
Persona extrovertida, comunicativa, tolerante y sociable >		< No está cerrado / < Resultado de la acción de abrir
Persona con mucho dinero >		< Alimento con mucho sabor
Persona introvertida >		< Objeto o lugar que no está abierto / < Resultado de la acción de cerrar
Color de la noche y otras cosas >		< Estar muy moreno después de tomar el sol / < Estar sucio, no limpio / < Estar enfadado o harto

1.6.  Lee las frases y relaciona preguntas y respuestas.

1. ¿De dónde vienen?

2. ¿Adónde van a ir en primer lugar?

3. ¿Cómo han llegado hasta aquí?

b En avión.

a A la feria de Sevilla.

c De Estados Unidos.

Verbos de movimiento con preposición *a / de / en*

- **ir + a:** dirección.

    Voy a Segovia el sábado.

- **irse + de:** abandono de un lugar.

    Me voy de Madrid el domingo.

- **ir + en:** medio de transporte. Excepto *ir a pie.*

    Voy en tren porque es más barato.

- **llegar + a:** destino.

    Llego a Segovia el sábado.

- **venir + a:** destino, que coincide con el lugar donde está la persona que habla.

    Rosa: Pepe viene a Segovia el sábado. (Rosa está en Segovia).

- **llegar/venir + de:** origen.

    El avión que acaba de aterrizar llega/viene de Londres.

1.7. Sitúate en un punto del plano y elige tres lugares a los que vas a ir. Explícale a tu compañero de dónde sales, adónde vas y cómo vas.

Ejemplo: *Salgo de la biblioteca y voy en metro al cine, luego...*

1.8. 👤 ✏️ **Tu compañero está un poco sordo. Haz como en el ejemplo.**

Ejemplo:
▶ *Ayer vi **a** tu padre.*
▷ *¿**A** quién?*
▶ ***A** tu padre.*

> Ponemos la preposición ***a*** delante de un complemento directo de persona. También con el pronombre interrogativo *quién, quiénes.*

alumno a

1. Voy a buscar a mi hermano al aeropuerto.
2. Esta tarde veo a unos amigos.
3. ¿Llamas a tus padres?

alumno b

1. Todos los días traigo a Sergio en el coche.
2. ¿Acompañas a Luis a la puerta?
3. Siempre me encuentro a mis tíos en el cine.

2 Relaciones sociales

2.1. 👤 📖 **Lee esta carta de agradecimiento.**

Madrid, 25 de abril de 2007

Querido Pancho:

Muchísimas gracias por el regalo; me encanta. Los llevo a todas partes, solo me los quito en la ducha. ¿Cómo has sabido que necesitaba unos?

Ha sido realmente una sorpresa, de verdad. Gracias.

Un saludo y hasta pronto,

Miguel

Cartas de agradecimiento

• **Fecha**

• **Saludo**
   Querido + nombre:

• **Fórmula para agradecer**
   Gracias por...
   Te escribo para darte las gracias por...

• **Despedida**
   Un beso y hasta pronto,
   Un saludo,

2.2. 👥 💬 **Lee otra vez la carta. ¿Cuál ha sido el regalo? Aquí tienes una pista: Pancho sabe que a Miguel le encanta escuchar música en todas partes.**

2.3. 👥 ✏️ **Escribe ahora tú una carta de agradecimiento por un regalo que has recibido, pero no menciones qué es. Tus compañeros tienen que adivinar de qué regalo se trata.**

2.4. 👤 🎧 **Ahora, escucha a estas personas que se saludan y pon en el tipo de respuesta** [52] **el saludo que oigas.** 🙂 😐 🙁

	1	2	3	4	5
Persona A	😐				
Persona B					

Manifestar cómo se encuentra uno y responder al saludo

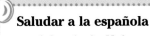

Saludar a la española

Además de *Hola, ¿qué tal?; Buenos días, ¿cómo está/s?,* hay otras formas de saludar:

¿Qué hay?; ¿Cómo andas?; ¿Qué pasa?;
¿Cómo te va?; Buenas...

- *Genial*
- *Fenomenal*
- *De maravilla*
- *Guay*

¿*Y tú?*

- *Bien*
- *Como siempre*
- *Aquí estamos*
- *Tirando*
- *Ya ves, tirando*
- *(Nada) Aquí...*

¿*Y tú qué tal?*

- *Vaya, no muy bien*
- *Fatal*
- *De pena*
- *Desesperado*
- *Así, así...*
- *Regular*

¿*Y a ti, qué tal te va?*

Despedirse a la española

Se pueden dar diferentes situaciones:

- No sabes en qué momento volverás a ver a la otra persona:

  ¡Adiós!; ¡Hasta luego!   *¡Nos vemos!*

  ¡Que te vaya bien!   *¡Hasta pronto!*

  ¡Hasta otro día!

- Volverás a ver a la otra persona en un futuro inmediato:

  ¡Hasta ahora!   *¡Hasta luego!*

  ¡Hasta mañana/el domingo...!

- No sabes si volverás a ver a la otra persona en un futuro inmediato:

  ¡Hasta otra, y a ver cuándo quedamos!   *¡Adiós! ¡Llámame!*

  ¡Hasta la vista! ¡Un día de estos te llamo!

2.4.1. Reacciona a los saludos de tu compañero y di cómo te encuentras, según el estado de ánimo que te indicamos más abajo.

- Feliz
- Cansado
- Aburrido
- Agobiado por el trabajo

- Desesperado
- Apático
- Contento de encontrarte con un antiguo amigo
- ...

2.4.2. Cuenta a la clase las diferencias que hay entre el saludo en España y el saludo en tu país.

2.4.3. 👤 📖 **Más información sobre el saludo en España.**

En España el saludo normalmente es el inicio de una conversación. Si la persona no tiene tiempo de pararse a hablar, le da al interlocutor múltiples excusas y explicaciones.

Para poner excusas y dar explicaciones, puedes usar:

Perdona, tengo muchísima prisa, luego te llamo...
Lo siento. No puedo pararme a hablar, de verdad. Es que...
Lo siento mucho, pero + explicar dónde vas o qué vas a hacer.
Lo siento mucho, pero me cierra el banco y tengo que sacar dinero.

Si el saludo es a distancia, como por ejemplo de una acera a otra, o de un coche a otro, entonces utilizamos los gestos:

¡Ehhh! ¡Hola!

¿Qué tal?

Nos vemos luego.

Yo te llamo.

2.4.4. 👤👤 🗨 **Vamos a saludar y a comunicarnos con gestos. Cada uno de vosotros tiene unas situaciones que debe interpretar y, luego, reaccionar ante la interpretación de vuestro compañero.**

alumno a

★ Estás en el andén del metro y ves a tu compañero en el andén de enfrente. Lo saludas para captar su atención y le dices que luego lo llamas por teléfono.

★ Ves a lo lejos a un compañero que te saluda. Respóndele.

★ Pide a tu compañero por señas que te llame después, a las tres de la tarde.

★ Sales de una cafetería y ves a un antiguo amigo que te hace señas desde la parada del autobús. Intenta interpretar sus movimientos y contesta también por señas a lo que crees que dice.

★ Estás en un bar lleno de gente. Ves a lo lejos a un amigo, pero no te puedes acercar a él. Te mira y entonces tú lo saludas, le dices que os veis más tarde.

CONTINÚA ····▷

alumno b

★ Estás en el metro. De repente ves a tu compañero en el otro andén. Te hace señas, ¿qué te dice? Contéstale.

★ Vas caminando por la calle y ves a lo lejos a tu compañero. Salúdale.

★ Dile a tu compañero que de acuerdo, que lo llamas a las 3.

★ Estás en la parada del autobús y ves a un antiguo amigo al otro lado de la calle. Le saludas, le dices que lo llamarás más tarde y que como viene el autobús le dices que te tienes que ir y te despides.

★ Estás en un bar lleno de gente. Un amigo te saluda desde lejos. Interpreta sus gestos y respóndele.

AUTOEVALUACIÓN · · · AUTOEVALUACIÓN · · · AUTOEVALUACIÓN

1. ¿Conoces los signos de puntuación? Relaciona cada signo con su nombre.

1	,	• a punto y coma
2	;	• b punto
3	:	• c guion
4	.	• d dos puntos
5	¿?	• e coma
6	¡!	• f exclamación
7	( )	• g paréntesis
8	" "	• h interrogación
9	–	• i comillas

2. Puntúa el siguiente diálogo.

Alberto Hola Sofía qué tal
Sofía Alberto qué sorpresa bien bien y tú
Alberto Genial
Sofía Mira esta es Marga es mi prima
Alberto Hola
Marga Hola

3. Elige la opción correcta.

1. La mesa .... de madera.
    ☐ a. es   ☐ b. está

2. .... todos bien, gracias, no te preocupes.
    ☐ a. Somos   ☐ b. Estamos

3. No tienes que decir nada, ... claro que el problema no es tuyo.
    ☐ a. es   ☐ b. está

4. ¿...................... dónde vienes?
    ☐ a. A   ☐ b. De   ☐ c. En

5. Mi hermano viaja siempre ....coche.
    ☐ a. a   ☐ b. de   ☐ c. en

6. Te espero .... el café.
    ☐ a. a   ☐ b. de   ☐ c. en

7. No vemos .... tus padres desde hace tiempo.
    ☐ a. a   ☐ b. de   ☐ c. en

4. Encuentra el intruso. Justifica tu respuesta.

a checo • inteligente • contento ingeniero • náutico

b enfadado • deprimido • alegre acabado • enfrente

c a • de • en • y • por

d genial • estupendamente de maravilla • guay • así, así

1 De **vacaciones**

1.1. 👥 📖 Rigoberto, un chico mexicano que está haciendo un viaje por Europa, les ha escrito a sus padres una carta contándoles los lugares que ha visitado y las experiencias que ha tenido en España. Sin embargo, ha estado en tantos lugares en tan poco tiempo que se ha liado. Encuentra los errores.

> Zürich, 23 de mayo de 2007
>
> Queridos papá y mamá:
>
> ¿Cómo están? Yo estoy bien, un poco cansado, porque he llegado a Zürich desde Madrid recién. España es muy linda. He visto muchas cosas, me he bañado en las playas tropicales de Santander y he conocido mucha gente. En Galicia he bailado sevillanas, que es el baile típico de allí, también he comido marisco y he hecho el Camino de Santiago. Además he visitado Barcelona, que es una ciudad preciosa en el centro del país y he disfrutado mucho de la obra de Gaudí: la catedral, el parque Güell, las casas modernistas... En las islas Canarias, en el Mediterráneo, he subido al Teide y he visto la obra de César Vallejo en Lanzarote. Y después, Andalucía: he estado en La Alhambra de Córdoba y en la Torre del Oro de Málaga, y he comido paella, que es una sopa de tomate muy buena.
>
> Bueno, papis, esto es todo.
>
> Les quiero
>
> Besos
>
> Rigoberto

1.1.1. 👤 ✏️ Escribe ahora una carta sobre tu país o ciudad con tres errores. Léela en voz alta. Tus compañeros tienen que corregirlos.

Contenidos funcionales
- Valorar una experiencia del pasado
- Narrar acciones en pasado

Contenidos gramaticales
- Revisión del pretérito perfecto
- Los pronombres de objeto directo y objeto indirecto
- Pretérito indefinido: morfología y usos
- *Volver* + *a* + infinitivo
- Marcadores temporales
- Contraste: pretérito perfecto/ pretérito indefinido

Contenidos léxicos
- Experiencias personales de ocio y tiempo libre
- Los viajes
- Las vacaciones

Contenidos culturales
- Turismo en Cuba
- La inmigración en España
- Literatura: Gonzalo Torrente Ballester

1.2. 👤 🎧 **Escucha los siguientes diálogos y subraya en la transcripción las expresiones** [53] **que sirven para valorar una actividad.**

diálogo 1

▶ ¿Qué tal lo has pasado estas Navidades?

▷ Genial. Lo he pasado de maravilla. Ha venido también una hermana argentina de mi marido y ha sido muy divertido. ¿Y tú?

▶ Normal. Las Navidades han estado bastante bien. Ahora lo que no es tan divertido es la vuelta al trabajo.

▷ ¡Y que lo digas!

diálogo 2

▶ ¿Qué tal esta noche en el concierto de "Los Energéticos Consumidos"?

▷ De pena. Lo he pasado fatal. Ha sido un concierto muy aburrido.

▶ ¡Qué pena!, ¿no?

▶ Señora Rosa, ¿qué tal sus vacaciones?

▷ Muy bien, guapa, muy bien. Mi marido se ha bañado todos los días y yo he dado largos paseos por la playa. Así que, de maravilla. Lo hemos pasado fenomenal. ¿Y vosotros?, ¿qué habéis hecho?

▶ Pues hemos vuelto a Asturias. Y la verdad es que los niños han estado felices y lo han pasado bomba.

diálogo 3

1.3. 👥 🗨 **Poned en común vuestro trabajo. Podéis escribir en la pizarra todas las expresiones de valoración.**

Para valorar una actividad o periodo de tiempo

Ser	🙂 una obra muy divertida. 🙂 una fiesta genial. 🙁 un día horrible.

Ejemplo: *Ha sido un día horrible. Todo me ha salido mal.*

La fiesta La conferencia **estar** El concierto	🙂 genial. 🙂 bastante interesante. 🙁 muy mal.

Ejemplo: *La película que vimos el domingo pasado estuvo genial.*

Pasarlo	🙂 muy bien / de vicio / de cine 🙂 de maravilla / de miedo / bomba 🙂 bien / normal	😐 "ni fu ni fa" 🙁 regular 🙁 horrible / de pena / fatal

Ejemplo: *En el viaje lo hemos pasado de maravilla.*

1.4. 👥 🗨 **Mira la valoración de las actividades; después, habla con tu compañero para que te cuente qué tal lo ha pasado en las siguientes situaciones. Sigue el ejemplo.**

Ejemplo: ▶ *¿Qué tal este fin de semana?*

▶ *Ha sido un fin de semana genial. ¡Lo hemos pasado bomba en la excursión!*

● **Preguntar por:**

● • Reunión del departamento de ayer por la tarde.

● • La visita al dentista de esta mañana.

● • El viaje de este verano con tus amigos.

● • ....

● ....

● ....

● ....

● ....

1.5. [icons] **¿Qué tienes que hacer antes de iniciar un viaje?** Para viajar hay que...

....

....

1.6. [icons] **Rigoberto está preparando su mochila para salir de viaje. Relaciona los dibujos con las frases.**

- Los ha guardado en la mochila ...... [ ]

- Las ha colgado en su camisa .... [ ]

- La ha metido en la mochila .... [ ]

- Lo ha dejado encima de la cama ... [ ]

1.6.1. [icons] **Completa el siguiente cuadro.**

Pronombres de objeto directo

La, lo, las, los son pronombres que sirven para referirnos a una [_____] o [_____] de la que ya hemos hablado antes.

1.6.2. [icons] **Completa la tabla. Puedes guiarte del ejercicio 1.6.**

	Pronombres de **objeto directo**	Pronombres de **objeto indirecto**
Yo	me	me
Tú	te	te
Él, ella		le(se)
Nosotros/as	nos	nos
Vosotros/as	os	os
Ellos, ellas/ustedes		les(se)

1.7. [icons] **Tu compañero ha perdido algunas de sus cosas y tú sabes dónde están. Díselo utilizando únicamente los pronombres.**

Ejemplo:

Alumno A: *¿Has visto mi chaqueta?*

Alumno B: *Sí, se la ha llevado tu madre a la tintorería.*

alumno a

No sabes dónde están:
- Tu diccionario
- Tus apuntes
- Tu pelota de fútbol

Tu compañero no sabe dónde están:
- Su cámara (la cámara está en tu casa)
- Sus pinceles (los pinceles están en el suelo)
- Su abrigo (el abrigo está colgado en la percha)

alumno b

No sabes dónde están:
- Tu cámara
- Tus pinceles
- Tu abrigo

Tu compañero no sabe dónde están:
- Su diccionario (el diccionario está en el cajón)
- Sus apuntes (los apuntes están en tu casa)
- Su pelota de fútbol (la pelota de fútbol está en el vestuario)

1.8. [icons] **Lee la siguiente lista de palabras y marca en el cuadro todas las palabras que son comunes al léxico del aeropuerto, la estación de tren y la estación de autobuses.**

☒ el billete
☐ el conductor
☐ el maquinista
☐ la pista
☐ el andén
☐ la vía
☐ el pasajero
☐ la maleta
☐ la taquilla
☐ la aduana

☐ el piloto
☐ la dársena
☐ el vuelo
☐ la litera
☐ el viajero
☐ el revisor
☐ el equipaje
☐ la azafata
☐ el asiento
☐ los servicios

☐ el mostrador de información
☐ el mostrador de líneas aéreas
☐ la facturación de equipajes
☐ el panel de salidas y llegadas
☐ la puerta de embarque
☐ el control de pasaportes
☐ la bolsa de mano
☐ el coche cama
☐ la reserva
☐ la máquina de refrescos

1.8.1. [icons] **Ahora, clasifica las palabras específicas de cada lugar.**

Aeropuerto	Estación de autobuses	Estación de tren

1.9. [icons] **Mira esta foto. ¿Qué ves? ¿Cuándo se sacó?**

2 de agosto de 2007

1.9.1. [icons] **Después de mirar la foto, imagina el viaje que esta pareja hizo y completa las siguientes frases.**

La pareja **fue** a _____, **salió** de _____ y **llevó** _____ maletas.

El vuelo en avión **duró** _____ horas y **tuvieron** un _____ viaje. En este paradisíaco lugar **estuvieron** _____ días. **Se alojaron** en _____ de cinco estrellas. Como **hizo** _____ tiempo, **se bañaron** en _____ todos los días, pero **quisieron** practicar _____ y no **pudieron** porque no había _____. **Visitaron** _____ y _____.

Les **gustaron** mucho los restaurantes: **comieron** _____ y **bebieron** _____. Además **conocieron** a _____. Por eso **lo pasaron** _____.

Para narrar acciones pasadas

Pretérito indefinido:

- Se utiliza para expresar acciones pasadas en un periodo de tiempo terminado:

    Ejemplo: *Anoche estuve en el cine.*

    Llegó y cerró la puerta.

    Colón descubrió América el 12 de octubre de 1492.

- Para expresar acciones pasadas de desarrollo prolongado, pero limitado y cerrado:

    Ejemplo: *La boda duró 3 días.*

- Para expresar acciones que se han repetido en el pasado:

    Ejemplo: *El año pasado estuve cinco veces en México.*

Marcadores temporales:

- *– **Anoche/Ayer/Anteanoche/El otro día**.*

- *– **Hace** dos **días/semanas**/tres **meses**...*

- *– **El** mes/año/verano... **pasado**.*

- *– **En** 1990/agosto/verano.*

1.9.2. 🧍✏️ **¿Qué verbos en pretérito indefinido del texto anterior crees que son regulares? ¿E irregulares? Clasifícalos en las columnas de abajo.**

Verbos regulares	*Verbos irregulares*
Salió	Fue

Verbos regulares

	Verbos en **-AR**	Verbos en **-ER**	Verbos en **-IR**
Yo	viajé	comí	salí
Tú	viajaste	comiste	saliste
Él/ella/usted	viajó	comió	salió
Nosotros/as	viajamos	comimos	salimos
Vosotros/as	viajasteis	comisteis	salisteis
Ellos/ellas/ustedes	viajaron	comieron	salieron

Verbos irregulares

	Ser / ir	Dar
Yo	fui	di
Tú	fuiste	diste
Él/ella/usted	fue	dio
Nosotros/as	fuimos	dimos
Vosotros/as	fuisteis	disteis
Ellos/ellas/ustedes	fueron	dieron

1.10. Completa los cuadros con tu compañero.

Estar	Tener	Poder	Poner
estuve			
			pusiste
estuvo			
	tuvimos		pusimos
estuvisteis			
		pudieron	

Haber	Saber	Caber	Andar
hube	supe		
			anduviste
		cupo	anduvo
hubisteis		cupisteis	
	supieron		

Hacer	Venir	Querer
hice		quise
	viniste	
hizo		
		quisimos
	vinisteis	
hicieron		

Decir	Conducir	Traer
dije		traje
	condujiste	
dijo		
		trajimos
	condujisteis	
dijeron		

Todos los compuestos de estos verbos se conjugan igual que sus correspondientes verbos simples: *convenir, rehacer, componer, contener, deshacer, reconducir...*

convine...

rehice...

compuse...

contuve...

deshice...

reconduje...

1.11. 📇 ✏️ **Ordena los siguientes marcadores temporales del recuadro por orden cronológico según la fecha de hoy.**

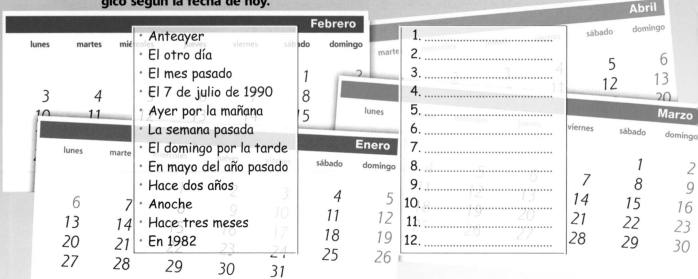

· Anteayer
· El otro día
· El mes pasado
· El 7 de julio de 1990
· Ayer por la mañana
· La semana pasada
· El domingo por la tarde
· En mayo del año pasado
· Hace dos años
· Anoche
· Hace tres meses
· En 1982

1. ....
2. ....
3. ....
4. ....
5. ....
6. ....
7. ....
8. ....
9. ....
10. ....
11. ....
12. ....

1.12. 👥 💬 **Haz cinco preguntas a tu compañero utilizando las expresiones temporales que acabas de estudiar.**

Ejemplo:

Alumno A: *¿Qué hiciste el domingo por la tarde?*

Alumno B: *Fui al cine a ver una película de miedo.*

1.13. 📇 ✏️ **Completa la siguiente carta con las formas del pretérito indefinido.**

Milán, 15 de marzo de 2007

¡Hola, Juan!

¿Qué tal estás? Espero que muy bien. Ayer **(1)** .... *(recibir, yo)* tu carta en la que me pides información sobre el viaje, el país, el alojamiento y la escuela donde estoy estudiando italiano.

Como sabes, **(2)** .... *(llegar, yo)* en enero para aprender italiano en una escuela privada. **(3)** .... *(salir, yo)* de Madrid en un vuelo directo a Milán que **(4)** .... *(costar, a mí)* 400 €. Del aeropuerto **(5)** .... *(venir, yo)* en autobús hasta el centro y **(6)** .... *(tardar, yo)* una hora en llegar a la residencia en la que **(7)** .... *(alojarse, yo)* al principio. Después **(8)** .... *(alquilar, yo)* un apartamento con un estudiante italiano que **(9)** .... *(conocer, yo)* a través de una amiga con la que **(10)** .... *(hacer, yo)* un intercambio. ¡Es otra forma buenísima de aprender italiano! Además, la escuela es muy buena y las clases son por la mañana. Por la tarde, hago turismo o suelo ir a la biblioteca a estudiar

En Carnavales, mi compañero de piso, mi amiga y yo **(11)** .... *(viajar)* a Venecia y **(12)** .... *(alojarse, nosotros)* en el piso de unos amigos suyos universitarios. ¡Lo **(13)** .... *(pasar, nosotros)* genial! **(14)** .... *(disfrazarse, nosotros)*, **(15)** .... *(bailar, nosotros)* hasta las tantas en la plaza de San Marcos, **(16)** .... *(montar, nosotros)* en góndola y durante esos días **(17)** .... *(visitar, nosotros)* muchos monumentos bellísimos. Allí **(18)** .... *(estar, nosotros)* tres días en total.

Al volver, **(19)** .... *(pasar, nosotros)* por Florencia y **(20)** .... *(alojarse, nosotros)* en un albergue juvenil. ¡Qué ciudad tan bonita y misteriosa! **(21)** .... *(gustar, a mí)* más que Venecia. **(22)** .... *(ver, nosotros)* la catedral y unos palacios preciosos. También **(23)** .... *(conocer, nosotros)* la casa de Miguel Ángel. **(24)** .... *(encantar, a mí)*.

Italia es increíble. Tienes que venir a visitarnos.

¡Ciao!

Pepe

1.14. 👤 🎨 Imagina que un amigo tuyo te pide información sobre tu estancia en España o en algún lugar del extranjero. Escríbele una carta en tu cuaderno similar a la que acabas de completar. Háblale del viaje, del alojamiento, de la escuela, de las excursiones y del país. No olvides utilizar el pretérito indefinido y el léxico aprendido al narrar tu viaje.

2 A **vueltas** con el **pasado**

2.1. 👤 🎧 Vas a escuchar a algunos turistas que hablan de sus viajes por Sudamérica. Pon [54] atención porque hay un verbo que repiten todos. ¿Cuál?

2.1.1. 👤 ✏️ ¿En cuál de estas tres estructuras aparece? Márcala.

☐ 1. *volver* + gerundio　　☐ 2. *volver a* + infinitivo　　☐ 3. *volver* + participio

2.1.2. 👤 ✏️ ¿Qué crees que expresa esta construcción? Elige una opción. Si es necesario, puedes escuchar de nuevo la audición.

Expresa...

☐ ...futuro
☐ ...que algo nos gusta
☐ ...que regresamos a un sitio
☐ ...repetición de una acción
☐ ...que hacemos algo por primera vez

2.1.3. 👤 🎧 Escucha de nuevo a los turis- [54] tas, y escribe en la tabla qué es lo que volvieron a hacer durante sus vacaciones.

Volvió a...

1. [   ]
2. [   ]
3. [   ]
4. [   ]
5. [   ]
6. [   ]
7. [   ]
8. [   ]

2.2. 👤 ✏️ ¿Y tú?, ¿has repetido algún viaje o alguna actividad en tus últimas vacaciones? Escríbelo y, luego, cuéntaselo a tus compañeros.

Estuve en el museo Picasso el año pasado y ayer volví a visitarlo porque la primera vez me gustó mucho.

2.3. 〖👥〗〖◈〗 **Hace un tiempo estuvisteis juntos de vacaciones en Cuba. Vais a contar a vuestros compañeros por qué elegisteis este país, qué ciudades visitasteis, vuestras experiencias en el viaje, etc. A continuación, tenéis información sobre el país. Leedla y comentadla con vuestro grupo, y, después, seguid las instrucciones de vuestro profesor.**

Cuba

La Habana • • Matanzas

Cienfuegos• • Santa Clara

• Nuevitas

Camagüey• • Holguín

Manzanillo• • Guantánamo

Santiago de Cuba

Cuba es la mayor de las islas del Caribe y fue descubierta por Cristóbal Colón en 1492. Antigua colonia española situada a la entrada de México, sus ciudades sorprenden por su arquitectura colonial, y las playas y los cayos, con variada fauna y flora, por sus aguas transparentes. Existen más de trescientas áreas protegidas que ocupan el 22% del territorio, además de cuatro zonas declaradas como reserva de la biosfera por la UNESCO. Su gente es amable y hospitalaria. El cubano es alegre y comunicativo.

Datos de interés:

Economía: turismo y la industria del azúcar de caña, tabaco, níquel, ron y café.

Idioma oficial: español.

Símbolos nacionales: la Mariposa Blanca (una flor), el Tocororo (un ave, de la familia del quetzal) y la Palma Real (un árbol).

Cultura: hay importantes manifestaciones artísticas y muchos creadores (escritores, bailarines, músicos...). La infraestructura cultural se compone de salas de teatro, museos, galerías de arte... Es sede de varios festivales y eventos internacionales como el Festival del Nuevo Cine Latinoamericano o el Festival de Ballet.

Artesanía: trabajos en piel, fibras vegetales, madera, piedra y productos del mar.

Clima: subtropical moderado. Tiene dos estaciones: la seca, de noviembre a abril, y la de lluvia, de mayo a octubre.

Temperatura media: 24 °C.

Recomendaciones para el turista:

Moneda: el peso cubano. Se recomienda pagar con dólares estadounidenses.

Vestido y calzado: debe ser ligero (tejidos de algodón, pantalones cortos, sandalias...). Para el invierno se recomienda llevar una chaqueta o un jersey fino.

Transporte: es mejor moverse en taxi o en buses turísticos. Se puede alquilar un coche.

Se aconseja beber agua embotellada.
Es un país seguro, con bajo índice de criminalidad.

3 Llegué, vi y... **me volví**

3.1. [55] **Vamos a seguir hablando de viajes, pero ahora de otros muy distintos, de los que tiene que hacer mucha gente, obligada por la necesidad, en busca de un futuro mejor. Vas a escuchar a algunas personas que cuentan sus experiencias como emigrantes; toma nota, en la tabla que tienes, de los países de origen y de acogida de cada una de ellas.**

	País de origen	País de acogida
1.		
2.		
3.		
4.		
5.		
6.		
7.		
8.		

3.1.1. [55] **Vuelve a escuchar, pero ahora fíjate en cuánto tiempo estuvieron fuera de su país y en lo que hicieron durante ese tiempo para ganarse la vida.**

3.1.2. **¿Y tú?, ¿conoces a alguna persona que haya vuelto a su país después de haber probado fortuna en otro?, ¿cómo fue su experiencia? Cuéntaselo a tus compañeros.**

	Duración	Actividad
1.		
2.		
3.		
4.		
5.		
6.		
7.		
8.		

1. De los siguientes verbos, marca los que sean irregulares en el pretérito indefinido.

☐ a. hacer   ☐ b. llevar   ☐ c. decir   ☐ d. tomar   ☐ e. ser   ☐ f. dar

☐ g. estudiar   ☐ h. traer   ☐ i. vivir   ☐ j. saber   ☐ k. pensar   ☐ l. comer

2. ¿Cuáles de ellos te resulta más fácil recordar?

3. Escribe ocho palabras relacionadas con los viajes que hayas aprendido en esta unidad.

....

4. ¿Crees que hablar de viajes ha sido una buena forma de practicar el pretérito indefinido? ¿Qué otros temas se te ocurren con este mismo fin?

Unidad
14

Contenidos funcionales
- Hablar de hechos históricos
- Informar del tiempo que separa dos acciones pasadas
- Hablar de la vida de alguien
- Pedir y dar información sobre curriculum vitae

Contenidos gramaticales
- Pretérito indefinido: formas irregularres (3.ª singular y plural: $e > i$, $o > u$, $i > y$)
- Marcadores temporales: *al cabo de/ a los/después de*
- Contraste pretérito perfecto/ pretérito indefinido

Contenidos léxicos
- Currículum vítae
- Hechos históricos

Contenidos culturales
- Biografías: Miguel de Cervantes, Pablo Ruiz Picasso, Isabel Allende

---

1 ¡Vaya **vida**!

1.1. 👤 📖 **Aquí tienes una breve biografía de Miguel de Cervantes. Léela.**

Miguel de Cervantes Saavedra nació en Alcalá de Henares (Madrid) en 1547. Durante cinco años fue soldado y sirvió a Felipe II en Italia; perdió el movimiento de su mano izquierda en la batalla de Lepanto. A continuación, estuvo preso en Argel; después de cinco años, salió de la prisión y regresó a España donde fue recaudador de impuestos. Se trasladó a Valladolid y volvió a vivir en Madrid, dedicándose finalmente a la creación literaria. Produjo numerosas obras de teatro, poesía y novela, pero la más importante fue *El ingenioso hidalgo don Quijote de la Mancha*. Creó a su personaje más famoso en 1605: don Quijote, un viejo hidalgo que leyó demasiados libros de caballería y se volvió loco. Por este motivo, sintió la necesidad de salir, como caballero andante, por los campos de la Mancha en busca de aventuras. Este personaje sirvió a Cervantes para ver la realidad de otra manera. Con él creó el concepto de novela moderna. Cervantes murió el 23 de abril de 1616, fecha en la que, tradicionalmente, se celebra el Día del Libro.

1.1.1. 👥 💬 **Subraya los verbos que están en pretérito indefinido. ¿Por qué se utiliza este tiempo del pasado?**

1.1.2. 👤 ✏️ **¿Hay algún verbo irregular en el texto? Anota abajo todos los que encuentres.**

Son irregulares:

1.1.3. 👤 ✏️ **De estos verbos irregulares, ¿cuáles son nuevos para ti?**

Son nuevos:
....
....
....

1.2. 👤 ✏️ **Fíjate en el siguiente cuadro gramatical. Clasifica estos nuevos verbos irregulares en el lugar correspondiente.**

Pretérito indefinido

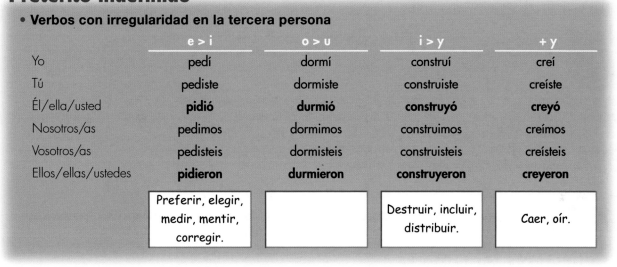

• **Verbos con irregularidad en la tercera persona**

	e > i	o > u	i > y	+ y
Yo	pedí	dormí	construí	creí
Tú	pediste	dormiste	construiste	creíste
Él/ella/usted	**pidió**	**durmió**	**construyó**	**creyó**
Nosotros/as	pedimos	dormimos	construimos	creímos
Vosotros/as	pedisteis	dormisteis	construisteis	creísteis
Ellos/ellas/ustedes	**pidieron**	**durmieron**	**construyeron**	**creyeron**
	Preferir, elegir, medir, mentir, corregir.		Destruir, incluir, distribuir.	Caer, oír.

1.2.1. 👤 ✏️ **En cada línea hay un verbo irregular que no pertenece a estos grupos con irregularidad en la tercera persona. Busca el intruso.**

1. intuyó · leyeron · quiso · durmieron · midieron · eligieron

2. distribuyó · oyeron · cayeron · pidió · trajo · mintieron

3. creyeron · murió · hubo · sintió · destruyó · construyeron

4. sintieron · prefirió · supo · corrigieron · incluyeron · mintió

Como has visto en estas biografías, el pretérito indefinido, al tratarse de un tiempo que expresa acciones terminadas en el pasado, nos sirve para:

• Dar información sobre la vida de alguien:

Nació en 1940; se casó con Josefa; murió en Madrid.

• Informar del tiempo que separa dos acciones pasadas:

Nueve años después volvió a vivir en París; al cabo de tres años, pintó...

• Hablar de hechos históricos, acontecimientos del pasado:

Carlos IV lo eligió como pintor de cámara; en 1936 empezó la Guerra Civil.

1.3. 👤 ✏️ **Volvemos a las biografías, con muchos indefinidos nuevos. Conjuga los verbos en pretérito indefinido.**

Es chilena aunque 1 *(nacer)* .... en Lima (Perú), en 1942. Su padre 2 *(ser)* .... diplomático y es sobrina del que 3 *(ser)* .... presidente chileno, Salvador Allende. 4 *(Hacer)* .... Periodismo. En 1962, 5 *(casarse)* .... y, posteriormente, 6 *(tener)* .... dos hijos. En 1973, 7 *(abandonar)* .... Chile tras el golpe de estado y 8 *(exiliarse)* .... en Caracas. En 1992, 9 *(morir)* .... su hija Paula, lo que la 10 *(llevar)* .... a escribir el libro titulado: *Paula* (1994). En 1985, 11 *(recibir)* .... el premio a la mejor novela en México, y, en 1986, 12 *(ser)* .... premiada como la mejor autora del año en Alemania.
En 1982, 13 *(publicarse)* .... su obra más conocida: *La casa de los espíritus*. Entre otras obras, caben destacar: *De amor y de sombra* (1984), *El plan infinito* (1991), *Cuentos de Eva Luna* (1992) e *Hija de la fortuna* (1999). Actualmente reside en California (EE. UU.).

1 *(Nacer)* .... en Málaga (España), en 1881. En 1895, 2 *(trasladarse)* .... a Barcelona donde 3 *(ingresar)* .... en la Facultad de Bellas Artes. Cinco años más tarde 4 *(ir)* .... por primera vez a París donde 5 *(organizar)* .... una exposición. Nueve años después 6 *(volver)* .... a vivir en París donde 7 *(conocer)* .... a Matisse. Al cabo de tres años, 8 *(pintar)* .... *Las señoritas de Avignon*. Cuando en 1936 9 *(empezar)* .... la Guerra Civil española, 10 *(volver)* .... de nuevo a París, donde 11 *(pintar)* .... el Guernica. 12 *(casarse)* .... varias veces y 13 *(tener)* .... tres hijos. En 1955, 14 *(instalarse)* .... en Cannes y a los dos años, 15 *(pintar)* .... *Las Meninas*, inspirándose en el cuadro de Velázquez. En 1973,16 *(morir)* .... en su casa de Notre-Dame-de- Vie (Francia).

1.4. 👤 🔤 **Fíjate en estos conectores temporales de la narración que expresan posterioridad y en los ejemplos de las biografías que has leído.**

Conectores temporales

| A la | mañana/primavera... | } siguiente |
| Al | mes/año... | |

| A los | dos días/tres meses... |
| A las | cinco semanas... |

| Al cabo de | una hora/tres días/varios años... |
| Después de | algunos meses/varias horas... |

| Dos días | } más tarde |
| Una semana/un día/una hora... | } después |

Ejemplos:

· *En **1895** se trasladó a Barcelona, **cinco años más tarde**, en **1900**, fue a París. **Al cabo de doce años**, en **1912**, pintó Las señoritas de Avignon.*

· ***A principios de los noventa** obtuvo un gran éxito de crítica y público con Beltenebros.*

1.4.1. 👤 ✏️ **Ahora, ya puedes escribir tu autobiografía, no olvides incluir todos los datos que tengas en tu currículo y algunos conectores temporales.**

2 Curriculum vítae

2.1. [icon] [icon] **Y seguimos con la historia, pero ahora con la tuya. Aquí tienes una plantilla para hacer un currículum vítae. Fíjate bien en los datos que se piden, asegúrate de que los entiendes todos y complétalos. Puedes usar el diccionario.**

Datos personales

Nombre: ....

Apellidos: ....

Fecha de nacimiento: ....

Natural de: .... Estado civil: ....

Dirección: ....

Código postal: .... Teléfono: ....

E-mail: .... Carné de conducir: ....

> Estudios universitarios: licenciatura en..., diplomatura en..., doctorado en...

Estudios realizados

Año

☐ ....

....

> Otras titulaciones, otros estudios

☐ ....

....

Formación

> Curso de..., Máster en... Lugar, número de horas

☐ Área de idiomas: ....

☐ Área de informática: ....

☐ Cursos de especialización: ....

Año ....

> Puesto de trabajo, nombre de la empresa y funciones realizadas

Experiencia de trabajo

Año

☐ ....

....

☐ ....

....

Aficiones e intereses personales

☐ ....

☐ ....

2.2. 👤 🎧 ¿**Alguna vez has estado en una entrevista de trabajo? Pues ahora vas a escuchar**
[56] **una en español. Luego, corrige la información si es necesario.**

1. Necesitan a una animadora cultural.
2. La candidata empezó a trabajar en 1996 en un hotel de la Rioja, después de terminar la carrera de Económicas.
3. A principios de 1997, empezó a trabajar en un hotel-balneario, organizando reuniones de empresa.
4. A mediados de 1999, se puso a trabajar en una oficina de información y turismo.
5. Habla perfectamente inglés y alemán porque estuvo trabajando durante un año en Londres y dos más en Berlín.
6. Hizo un curso específico de guías turísticos en alemán la última vez que estuvo en Berlín.
7. La semana que viene se pondrán en contacto con ella para darle una respuesta a su solicitud.

2.2.1. 👤 ✎ **En la entrevista aparecen dos tiempos del pasado que ya conoces, ¿cuáles? Completa sus nombres en la tabla.**

Pretérito	Pretérito ....

2.2.2. 👤 🎧 **Vuelve a escuchar la entrevista y clasifica, en la tabla que tienes arriba, todos**
[56] **los verbos según su tiempo.**

2.3. 👥 ✎ **Aquí tenéis toda la información para que vosotros mismos hagáis el cuadro de gramática con el contraste entre pretérito indefinido y pretérito perfecto.**

Pretérito perfecto

- Hablamos de...
....

Ejemplos:
- ....
- ....

Pretérito indefinido

- Hablamos de...
....

Ejemplos:
- ....
- ....

- Hablamos de acciones terminadas en el pasado, de acontecimientos o momentos puntuales.
- Hablamos de acciones terminadas en un tiempo no terminado o de experiencias en un tiempo indeterminado o general.

Ejemplos:
Me fui a vivir a Turquía en 1993.
He estudiado inglés y un poco de francés.
Se ha casado dos veces, pero no ha tenido hijos.
Empezó a trabajar con 20 años y se jubiló ayer.

2.4. 👤✏️ **Ahora, escribe al menos diez preguntas que se pueden hacer durante una entrevista de trabajo. Recuerda que unas pueden referirse a la experiencia y otras a un momento o acontecimiento preciso de la vida.**

Ejemplo: – *¿Qué has estudiado?*
– *¿Cuándo terminaste tus estudios?*

2.4.1. 👥🗨️BLA **¿Ya tienes preparada la entrevista?, pues házsela a tu compañero y, después, responde a las preguntas que te hará él. Recuerda que el tratamiento en una entrevista de trabajo es formal, así que usa siempre la forma *usted*.**

2.4.2. 👥🗨️BLA **Ahora que conocéis bien vuestros currículos, mirad estos anuncios de oferta de empleo y decidid quién de vosotros es la persona más adecuada para cada uno de ellos. No olvidéis argumentar vuestras opiniones.**

1.
2.
3.
4.
5.
6.
7.
8.
9.
10.

Necesitamos secretaria con experiencia de, al menos, dos años en marketing, dominio de inglés y portugués y don de gentes.

Empresa sueca busca licenciado en Empresariales con conocimientos de informática.

Compañía aérea selecciona azafatas. Pedimos buena presencia y buen nivel de inglés e italiano.

Discoteca necesita relaciones públicas, se precisa experiencia en hostelería y conocimientos de alemán.

¿Te gustan los animales?, ¿tienes entre veinte y treinta años?, ¿has estudiado Veterinaria, Psicología o Ciencias Políticas? Pues llámanos, tenemos trabajo para ti.

Si estás soltero, te gusta viajar, no te importa vivir en hoteles, si tienes alguna experiencia en el mundo del espectáculo, esta es tu gran oportunidad: ¡llámanos!

Escuela de idiomas busca profesores de francés, japonés y árabe con experiencia y con conocimientos de historia, literatura o negocios para impartir cursos específicos de estas materias.

Agencia de viajes busca persona con conocimientos de contabilidad, informática, carné de conducir y disponibilidad para viajar.

AUTOEVALUACIÓN

1. **¿Qué te ha ayudado más en esta unidad?**

☐ a. Las audiciones   ☐ b. Los textos
☐ c. La expresión escrita   ☐ d. Las actividades orales

2. **¿Puedes recordar en cuál de los epígrafes se ha presentado el contraste pretérito indefinido/pretérito perfecto?**

☐ a. Hechos históricos   ☐ b. Biografías
☐ c. Currículum vítae   ☐ d. Entrevista de trabajo
☐ e. Experiencias insólitas

3. **¿Cómo resumes en dos líneas este contraste? No olvides escribir algún ejemplo.**

....
....
....

Contenidos funcionales

- Descripción de hábitos y costumbres en pasado
- Descripción de personas, animales y objetos en pasado
- Hablar de las circunstancias en las que se desarrolló un acontecimiento

Contenidos gramaticales

- Pretérito imperfecto: morfología y usos
- Contraste presente/pretérito imperfecto
- Marcadores temporales: *antes/ahora*
- *Soler* + infinitivo
- Adverbios y expresiones de frecuencia

Contenidos léxicos

- La casa: el trabajo doméstico
- La escuela
- Etapas históricas
- Inventos y descubrimientos

Contenidos culturales

- El desempeño de las labores domésticas en la España actual
- La escuela española de mediados del siglo XX

1 Antes y **ahora**

1.1. ¿Sabes qué significa la palabra "maruja" en español? Aquí tienes tres acepciones. Discute con tus compañeros cuál es la más adecuada y comprueba en el texto de 1.1.1. tu respuesta.

☐ Mujer dedicada a las labores del hogar.

☐ Mujer que trabaja fuera de casa.

☐ Mujer que sale a faenar al mar.

1.1.1. Lee este texto.

Antes, las mujeres/esposas se dedicaban casi exclusivamente a las labores domésticas y tenían también a su cargo la educación y el cuidado de sus hijos. Mientras, los hombres/maridos trabajaban fuera de casa para mantener económicamente a la familia. Con la incorporación de la mujer al mundo laboral, el papel de ama de casa comenzó a desvalorizarse, apareciendo el término despectivo "maruja" para nombrar a aquellas mujeres que seguían manteniendo exclusivamente ese papel. Sin embargo, en la actualidad, se ha vuelto a revalorizar el trabajo del ama de casa. El hombre, poco a poco, comparte las tareas del hogar y participa activamente en la educación de los hijos. Algunos partidos políticos se plantean remunerar el trabajo de las tareas domésticas, considerado fundamental para la sociedad.

El término maruja se sigue utilizando despectivamente, e incluso se ha inventado el correspondiente masculino, "marujo".

- Maruja: del femenino "María". Mujer dedicada a las labores del hogar.

- Marujear: hacer las labores del hogar o contar cotilleos.

1.1.2. ¿La evolución en la consideración de las labores domésticas ha sido igual en tu país? Comenta las diferencias con tus compañeros.

1.1.3. 👥💬 **En el texto aparece un nuevo tiempo del pasado que se llama pretérito imperfecto. Anota las frases donde aparece.**

1. .....Las mujeres se dedicaban...

2. ....

3. ....

4. ....

1.1.4. 👥 🔤 **Haz una lista con las tareas domésticas más habituales. Puedes consultar el diccionario.**

1.1.5. 🔒 ✏️ **Completa el cuadro para obtener las formas de pretérito imperfecto.**

Verbos regulares

	Lav -ar	Barr -er	Herv -ir
Yo	lavaba	barría	hervía
Tú			hervías
Él/ella/usted			
Nosotros/as	lavábamos		hervíamos
Vosotros/as	lavabais	barríais	
Ellos/ellas/ustedes	lavaban		hervían

Verbos irregulares

	Ser	Ir
	era	iba
	eras	ibas
	era	iba
	éramos	íbamos
	erais	ibais
	eran	iban

1.2. 🔒 ✏️ **En el cuadro funcional de los usos del pretérito imperfecto no están los ejemplos siguientes. ¿Puedes ponerlos en su lugar?**

· La casa donde vivía antes tenía un cuarto de estar enorme y entraba mucha luz por las ventanas.

· Mientras yo fregaba los platos, mi novio hacía la comida.

· Antes fumaba mucho, no hacía deporte y me sentía mal. Ahora llevo una vida más sana y estoy mucho mejor.

Usos del pretérito imperfecto

- **Expresa acciones habituales en el pasado**

    Ejemplo: *Cuando yo **tenía** tu edad, no **podía** salir hasta muy tarde, **tenía** que estar a las diez en casa.*

    ....

- ***Soler*** + infinitivo también expresa acciones habituales en el pasado.

    Ejemplo: *Cuando éramos pequeños, mi padre **solía llevarnos** al colegio por las mañanas.*

- **Describe en el pasado**

    Ejemplo: *Mi abuelo Marcos **era** un hombre fuerte, **tenía** muy buen carácter y **era** muy inteligente. Sus ojos **eran** grises, y su pelo, canoso.*

    ....

- **Presenta una acción en desarrollo en el pasado**

    Ejemplo: *Cuando **comíamos**, se apagó la luz.*

- **Expresa dos acciones simultáneas en el pasado**

    Ejemplo: ***Siempre que venía** a vernos, nos **traía** un regalo.*

Fíjate en los marcadores temporales que pueden acompañar a las acciones habituales en pretérito imperfecto.

Generalmente	Normalmente	Antes
A veces	Muchas veces	Siempre
Casi siempre	Nunca	Casi nunca

Todos/as {
los días
las semanas
los meses
los años

Todas {
las mañanas
las tardes
las noches

1.3. 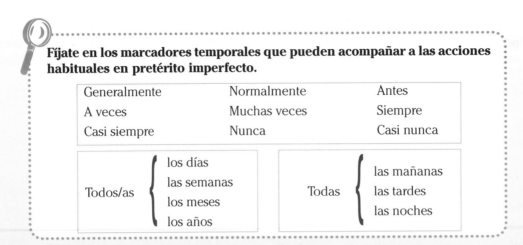 Aunque las cosas están cambiando en España, y hombres y mujeres se reparten las tareas domésticas, todavía son las mujeres las que, quizá, más tiempo dedican al hogar. ¿Ocurre lo mismo en tu país? Comenta lo que se hacía antes y lo que se hace ahora.

ANTES

Mi padre leía el periódico mientras esperaba el desayuno.

AHORA

Mi padre prepara el desayuno.

2 Se **me ha quedado** en el tintero

2.1. Mira el dibujo. Representa una clase de mediados del siglo pasado. ¿Qué diferencias encuentras con tu clase? ¿Qué cosas son iguales o parecidas?

2.1.1. 👤 ✏️ **Lee este texto y completa el dibujo con los nombres marcados en negrita.**

La escuela de ayer. ¿Cómo era la escuela a mediados del siglo pasado?

En las aulas había más de 50 alumnos. Los materiales eran comunes, y los métodos de aprendizaje eran la repetición, el canto y el **ábaco**. Como había alumnos de distintas edades en la clase, los mayores ayudaban al maestro en la enseñanza.

En las paredes del aula colgaban **carteles** de lectura junto con los mapas y los carteles de Historia Sagrada que representaban escenas de la Biblia. Las pizarras se ponían sobre un **caballete**; para borrarlas, se frotaba con un **trapo**. Frente a los alumnos, la **tarima** del profesor, y detrás, un **crucifijo**, un retrato del Jefe del Estado y las oraciones de entrada y salida que los niños entonaban diariamente.

Para escribir se empleaban los **tinteros**. Los **pupitres** tenían espacio para el tintero y la pluma. Alguna vez caían manchas de tinta en el cuaderno, pero se tenía mucho cuidado con la presenta-

ción. Se llevaban dos cuadernos; el de limpio y el de sucio. En la posguerra se empleaba también un cuaderno que se llamaba de rotación. Cada alumno hacía una parte del cuaderno. Era como un resumen del trabajo de la clase que había que presentar cuando llegaba la inspección.

Se daba mucha importancia a la caligrafía; los niños tenían que escribir bonito. Muchas veces, los niños no asistían a la escuela porque tenían que ayudar a sus padres en el campo o en el mercado. Las escuelas se diferenciaban por sexos, por lo que los niños y las niñas no compartían aulas. Pocas mujeres estudiaban.

En España existe el refrán "Pasas más hambre que un maestro". Los maestros ganaban muy poco dinero, sin embargo tenían un gran prestigio social. La disciplina era muy estricta; si el estudiante no sabía algo o se portaba mal, se permitían los castigos corporales.

2.1.2. 👥 ✏️ **Señala si las siguientes afirmaciones son verdaderas o falsas. Justifica tu respuesta.**

	Verdadero	Falso
1. El aprendizaje era reflexivo e individual	☐	☐
2. Todos los alumnos de una misma clase tenían la misma edad	☐	☐
3. El cuaderno de rotación era un cuaderno que reflejaba lo que se iba haciendo en clase	☐	☐
4. Era muy importante escribir con buena letra	☐	☐
5. Los profesores tenían un buen salario	☐	☐
6. Las clases eran mixtas	☐	☐
7. La mujer no tenía muchas oportunidades de estudio	☐	☐

2.1.3. 👥 🗨️ᴮᴸᴬ **Basándote en el texto, habla sobre las diferencias entre la escuela de antes y la de ahora en tu país.**

> **Ejemplo:** *El texto dice que se usaba el tintero, pero cuando yo iba a la escuela ya teníamos bolígrafos y ahora, incluso, hay aulas con Internet.*

2.2. 👥 🗨️ᴮᴸᴬ **Relaciona las frases según su significado.**

1 Antes jugaba al fútbol todos los días •	• **a** Solíamos comer en casa los domingos
2 Normalmente comíamos en casa los domingos •	• **b** ¿Dónde solíais veros?
3 ¿Qué hacías los lunes? •	• **c** ¿Qué solías hacer los lunes?
4 ¿Dónde os veíais? •	• **d** Solía jugar al fútbol todos los días

2.2.1. 👤 ✏️ **Fíjate en los ejemplos del ejercicio anterior y marca las opciones correctas.**

- Usamos el verbo *soler* en imperfecto + infinitivo, para:

  ☐ marcar el desarrollo de una acción

  ☐ marcar una acción que se repite en el pasado

  ☐ describir

  ☐ marcar un hábito del pasado

  ☐ marcar que una acción sucede solo a veces

2.3. 👥 💬 **Habla de tu niñez. Escribe lo que solías hacer y luego compara con tu compañero. ¿Qué teníais en común? ¿Qué era diferente?**

YO	MI COMPAÑERO
Solía jugar al baloncesto los domingos	Solía comer en casa de su abuela

2.3.1. 👥 💬 **Ahora, busca por la clase compañeros con las mismas costumbres que tú cuando eras pequeño.**

3 ¡Eureka!

3.1. 👥 💬 **Pensad en descubrimientos e inventos que han cambiado la historia y haced una lista.**

Ejemplo: *El fuego.*

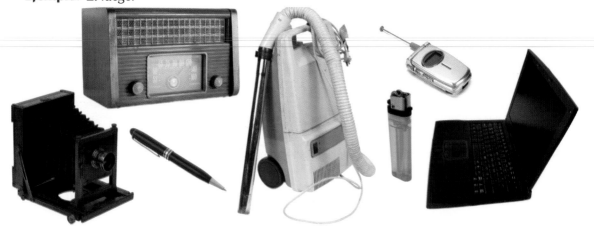

3.1.1. 👥 💬 **Ahora, podéis discutir qué hacíamos antes de la aparición de esos descubrimientos e inventos.**

Ejemplo: *Antes de conocer el fuego, la gente comía carne cruda, frutos de los árboles y plantas.*

3.2. 👥 ✏️ **Con tu compañero, piensa en un descubrimiento, e intenta imaginar las circunstancias que lo rodearon. Después, contádselo a la clase.**

3.3. 👤 🎧 Escucha ahora esta audición en la que diferentes personas hablan de cómo
[57] Internet ha cambiado sus vidas. Señala para qué usan Internet.

	Chatear	Correo electrónico	Información cultural	Vacaciones
Llamada 1	☐	☐	☐	☐
Llamada 2	☐	☐	☐	☐
Llamada 3	☐	☐	☐	☐

3.3.1. 👤 🎧 Di si las siguientes afirmaciones son verdaderas o falsas. Lee las frases antes de
[57] volver a escuchar el programa.

	Verdadero	Falso
1. M.ª Jesús solía perder mucho tiempo consultando agencias de viajes antes de contratar sus vacaciones	■	■
2. M.ª Jesús nunca reserva el hotel por Internet, pero mira sus características	■	■
3. A M.ª Jesús le resulta sencillo escribir correos electrónicos	■	■
4. Pedro vive en un pueblo y el *chat* le sirve para conocer a chicas	■	■
5. Pedro antes ligaba mucho	■	■
6. Rosa usa Internet para sus clases de arte	■	■
7. Rosa organiza viajes para visitar museos	■	■

3.3.2. 👪 🖊 Por último, comenta con tus compañeros qué ha significado para ti Internet.

¿Escribes más cartas ahora? • ¿Qué páginas te gusta visitar? • ¿Te gusta chatear?
• ¿Qué información buscas en Internet? • ¿Cómo la buscabas antes?

AUTOEVALUACIÓN

En esta unidad te parecen difíciles:

☐ a. Las explicaciones

☐ b. El vocabulario

☐ c. Los textos

☐ d. Las audiciones

☐ e. Los temas para hablar

☐ f. Las tareas de escritura

Consejo: Cada semana dedica un tiempo a pensar en las cosas que has aprendido y a repasarlas mentalmente. También puedes hacer un "semanario" con un resumen de lo estudiado. Algunos ejemplos:

· *Esta semana hemos visto los presentes. Hay verbos en presente que cambian una **e** de la raíz por **ie**, por ejemplo, sentir...*

· *También hemos estudiado vocabulario relacionado con los medios de comunicación; en España hay cadenas de televisión públicas y privadas; las películas extranjeras están normalmente dobladas al español....*

· *He repasado el pretérito perfecto; algunos participios irregulares son...*

· *En la unidad trece nos han presentado otro tiempo de pasado, el indefinido; el indefinido es un tiempo cerrado y puntual, de duración determinada, se usa para...*

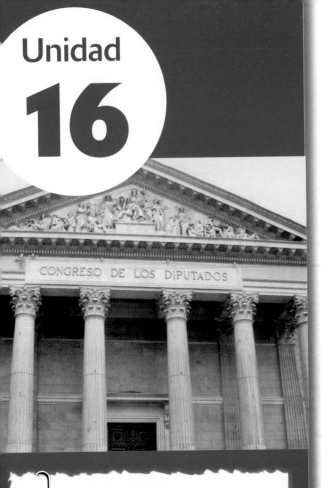

Unidad 16

Contenidos funcionales

- Relacionar dos momentos del pasado
- Hablar de la duración de una acción en el pasado
- Narrar en un periodo de tiempo terminado y no terminado
- Describir las circunstancias de los hechos del pasado
- Hablar de la primera vez que hiciste algo

Contenidos gramaticales

- Contraste pretérito indefinido/ pretérito perfecto/ pretérito imperfecto

Contenidos léxicos

- La Historia
- Introducción al lenguaje político
- Las noticias, la prensa
- Los cuentos

Contenidos culturales

- Historia contemporánea de España: la dictadura franquista y la transición
- Literatura: Max Aub

1.1. Vamos a recordar los marcadores temporales que generalmente se asocian al pretérito perfecto y al pretérito indefinido; para ello completa los cuadros correspondientes.

Pretérito perfecto	Pretérito indefinido
nunca	ayer
hasta ahora	el otro día
en mi vida	el mes pasado

hoy	ese mes
anoche	el mes pasado
en 1998	ya
aquel día	aún
esta tarde	este verano
todavía	en agosto
últimamente	el martes

1.2. Y ahora, escribe cuándo fue o ha sido la última vez que hiciste o has hecho alguna de estas cosas; conjuga los verbos de acuerdo con el marcador que elijas.

La última vez	ha sido... fue...
• tomar café	• este fin de semana
• hablar por teléfono	• el mes pasado
• hacer una foto	• ayer
• mandar un e-mail	• esta semana
• leer un libro	• anoche
• cenar fuera	• el lunes
• viajar	• nunca
• ducharse	• en 19..
• beber vino	• hoy
• oír música	• esta mañana
• visitar un museo	• el otro día
• ...	• ...

La última vez que hice una foto fue ayer.

1.3. [icon] [icon] **Fíjate en este esquema, complétalo con el nombre de los tiempos y relaciona cada ejemplo con el correspondiente.**

Tiempos del pasado

- **Descripción**
  - – Acciones habituales
  - – Personas o cosas
  - – Circunstancias y contextos

1. Pretérito [_____]

- **Narración**
  - – Acciones
  - – Acontecimientos

  - Relacionados con el presente

2. Pretérito [_____]

  - No relacionados con el presente

3. Pretérito [_____]

☐ Era un chico alto.	☐ Hacía frío y llovía.	☐ Nunca hemos estado allí.
☐ Hoy he llegado tarde.	☐ Anoche, el tren salió muy tarde.	☐ Siempre llevaba sombrero.
☐ De niño, solía jugar solo.	☐ Me llamó ayer por la tarde.	☐ Nos ha escrito esta semana.

2 Historia de España

2.1. [icon] [icon BLA] **Algunas de estas fotos pertenecen a hechos recientes de la historia de España. Discute con tus compañeros cuáles son.**

2.2. 👥 🔤 **Relaciona cada palabra con su definición.**

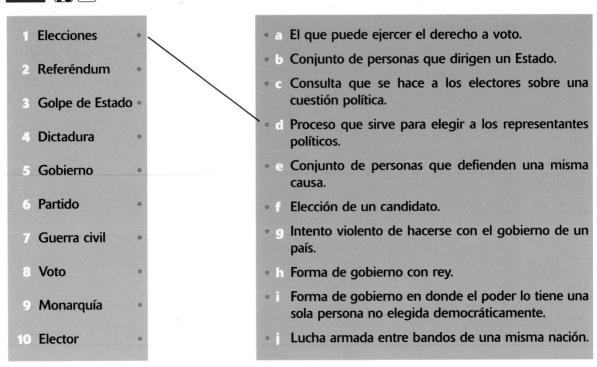

1 Elecciones •

2 Referéndum •

3 Golpe de Estado •

4 Dictadura •

5 Gobierno •

6 Partido •

7 Guerra civil •

8 Voto •

9 Monarquía •

10 Elector •

• **a** El que puede ejercer el derecho a voto.

• **b** Conjunto de personas que dirigen un Estado.

• **c** Consulta que se hace a los electores sobre una cuestión política.

• **d** Proceso que sirve para elegir a los representantes políticos.

• **e** Conjunto de personas que defienden una misma causa.

• **f** Elección de un candidato.

• **g** Intento violento de hacerse con el gobierno de un país.

• **h** Forma de gobierno con rey.

• **i** Forma de gobierno en donde el poder lo tiene una sola persona no elegida democráticamente.

• **j** Lucha armada entre bandos de una misma nación.

2.2.1. 🧑 🎧 [58] **Ahora, vas a escuchar las fechas de algunos acontecimientos importantes de la historia reciente de España. Relaciónalas con el hecho correspondiente en la tabla que tienes abajo.**

1 Triunfo del Partido Socialista •

2 Segunda República •

3 Aprobación de la Constitución •

4 Dictadura •

5 Ingreso de España en la CEE •

6 Referéndum por la reforma política •

7 Guerra Civil •

8 Primeras elecciones democráticas •

9 Muerte del dictador •

10 Victoria del Partido popular •

11 Intento de Golpe de Estado •

12 Reinstauración de la Monarquía •

• **a** 1936-1939

• **b** abril de 1996

• **c** 1931

• **d** 1939-1975

• **e** 22 de noviembre de 1975

• **f** octubre de 1982

• **g** junio de 1977

• **h** diciembre de 1976

• **i** 20 de noviembre de 1975

• **j** 6 de diciembre de 1978

• **k** enero de 1986

• **l** 23 de febrero de 1981

2.2.2. 👥 🗨️ **Comprueba el ejercicio preguntando a tus compañeros de clase.**

Ejemplo: ▷ *¿Cúando fue el triunfo socialista?*
   ▶ *Octubre de 1982.*

2.3. [icons] Lee este texto sobre el papel de Juan Carlos I, Rey de España, en la historia reciente de nuestro país.

Don Juan Carlos I, Rey de España

El 22 de noviembre de 1975 comenzó a escribirse una nueva página de la Historia de nuestro país. La comparecencia de don Juan Carlos ante las Cortes para ser proclamado Rey de España inició un periodo nuevo en nuestro país. Dos días antes, el 20 de noviembre, el caudillo Francisco Franco, había muerto. Se ponía fin a una dictadura de casi 40 años.

La nueva etapa era un reto para el joven monarca y para los partidos políticos. Debían restablecerse unas libertades que durante décadas habían desaparecido. En 1977, tuvieron lugar las primeras elecciones democráticas. Adolfo Suárez fue elegido presidente del Gobierno. En 1978, los españoles fueron convocados a un referéndum para aprobar la Constitución.

Pero la llamada Transición estuvo llena de sobresaltos. Un año clave fue 1981. En enero de ese año, Adolfo Suárez anunció su dimisión. El día 20 de ese mismo mes se produjo la primera votación de investidura de Leopoldo Calvo Sotelo. Apenas un mes después, el 23 de febrero, la incertidumbre y el miedo invadieron el país: el teniente coronel Antonio Tejero Molina encabezó un golpe de Estado y asaltó el Congreso de los Diputados con un grupo de guardias civiles.

En estos difíciles momentos, la figura del rey don Juan Carlos fue fundamental. Su aparición ante las cámaras de televisión para manifestar su oposición al golpe reforzó su papel en la Transición.

Tras el golpe vino un periodo de tranquilidad y afianzamiento de la Monarquía. Los Reyes iniciaron entonces una serie de viajes para ganarse el respeto de los líderes internacionales. La institución pronto contó con ese apoyo.

Ahora, años después de su llegada al trono, don Juan Carlos es el mejor embajador de nuestro país en el ámbito internacional.

Adaptado de Amaya García, http://aula.el-mundo.es/aula/noticia.php/2000/11/22

2.3.1. [icons] Del texto anterior, ¿puedes deducir cuáles fueron los hechos más relevantes de la reciente historia de España?

1. Muerte de Francisco Franco

2.3.2. [icons] También podéis hacer lo mismo con la historia reciente de vuestro país. Primero, anotad cuáles os parecen los hechos más relevantes para, luego, explicarlos al resto de la clase.

2.4. [icon] [icon] [59] Ahora, vas a oír a cinco personas que hablan sobre algunos de estos momentos de la historia reciente de España, contando algunas circunstancias personales; escúchalas y toma nota.

1. Habla de: ....
....
Circunstancias: ....
....
....
....
....

2. Habla de: ....
....
Circunstancias: ....
....
....
....
....

3. Habla de: ....
....
Circunstancias: ....
....
....
....
....

4. Habla de: ....
....
Circunstancias: ....
....
....
....
....

5. Habla de: ....
....
Circunstancias: ....
....
....
....
....

2.5. [icon] [icon] Finalmente, vamos a hablar de lo que sucedía, mientras, en el resto del mundo. Primero, toma nota en los recuadros de la derecha de los datos que recuerdes y, luego, di lo que hacías en ese momento.

España...	En el mundo...	Yo...
1936-1939 Guerra Civil	1939 Comienzo de la Segunda Guerra Mundial	
1939-1975 Dictadura	1969 Llegada del hombre a la Luna	
1976-1981 Transición		Vivía en Bogotá
1982-1996 Etapa socialista	1989 Caída del muro de Berlín	
1996-... Gobierno popular		

3 Noticias frescas

3.1. 👥 📖 **Lee esta noticia.**

Boda de la muñeca Barbie

El sábado pasado se celebró, en los salones del Hotel Astoria, la boda de la popular muñeca Barbie con un hombre de mediana edad que responde a las iniciales T.W. y que declaró que estaba enamorado de la muñeca porque en ella vivía el espíritu de una antigua novia suya que se suicidó por amor a él algunos años antes. Al parecer, la difunta, a través de un médium, expresó su satisfacción por este enlace que ella no pudo realizar y dio su consentimiento.

A la ceremonia asistieron decenas de personas; todas eran familiares o amigos del novio. Las mujeres llevaban espectaculares sombreros y los hombres vestían chaqué. La novia lucía un vestido de un importante diseñador francés y llegó al hotel en una carroza tirada por cuatro caniches, mientras el novio la esperaba, impaciente, en el salón principal. La fiesta concluyó con un baile que se prolongó hasta la madrugada.

Adaptado de *Europa Press*

3.1.1. 👥 📖 **Recuerda que cuando narramos en pasado (historias, experiencias, anécdotas...) usamos el pretérito indefinido para contar los acontecimientos, y el pretérito imperfecto para referirnos a las circunstancias en las que se produce ese acontecimiento.**

- Marca temporal ⟶ *El sábado pasado*
- Información de acontecimientos ⟶ *Se celebró*
- Circunstancias que rodearon los acontecimientos ⟶ *Estaba enamorado*

3.1.2. 👥 ✏️ **Ahora, vuelve a leer la noticia y separa los acontecimientos de su contexto poniendo los verbos donde corresponda.**

Acontecimientos o narración	Contexto o descripción
Se celebró	Estaba enamorado

3.2. Fíjate también en las siguientes informaciones y en las circunstancias que las rodean, y conjuga los verbos.

A Oye, ¿sabes que Carmen se fue hace unos días a Japón?

(Querer) .... aprender japonés. (Necesitar) .... cambiar de aires porque (estar) .... cansada de Salamanca y allí, además, (tener) .... muchas posibilidades de empleo. (Estar) .... muy ilusionada.

B ¿Sabes? Luis dejó los estudios.

Es que no le (gustar) .... estudiar. (Suspender) .... siempre los exámenes. (Preferir) .... trabajar, pero sus padres no le (dejar) ....

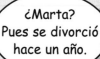

C ¿Marta? Pues se divorció hace un año.

Su marido (ser) .... muy aburrido y nunca (querer) .... salir, y además (estar) .... siempre en su oficina y apenas se (ver) ....

D ¿Por qué ya no sales con Pepe?

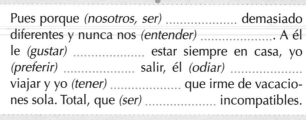

Pues porque (nosotros, ser) .... demasiado diferentes y nunca nos (entender) .... A él le (gustar) .... estar siempre en casa, yo (preferir) .... salir, él (odiar) .... viajar y yo (tener) .... que irme de vacaciones sola. Total, que (ser) .... incompatibles.

E ¿Por qué vendiste aquel coche?

Porque no me (hacer) .... falta, (vivir) .... muy cerca de mi trabajo y (poder) .... ir andando; además, la gasolina y el seguro (costar) .... mucho y yo entonces (ganar) .... muy poco.

3.3.  Haz un poco de memoria y escribe las circunstancias que rodearon algunos hechos de tu vida. Aquí te hacemos unas sugerencias.

- Cuando conociste a tu pareja.
- Tu primer día de escuela o trabajo.
- Cuando te sacaste el carné de conducir.
- Tu primer beso de amor.
- Cuando llegaste a la universidad.
- Tu primer viaje al extranjero.
- Cuando...

Cuando me saqué el carné de conducir, hacía mucho calor porque era verano y además teníamos que esperar en un jardín y había mucha gente antes que yo. Estaba muy nervioso y me dolía un poco la cabeza.

3.4. Ahora, transforma las informaciones que cuenta, en presente, este personaje de acuerdo con los marcadores temporales que tienes al lado.

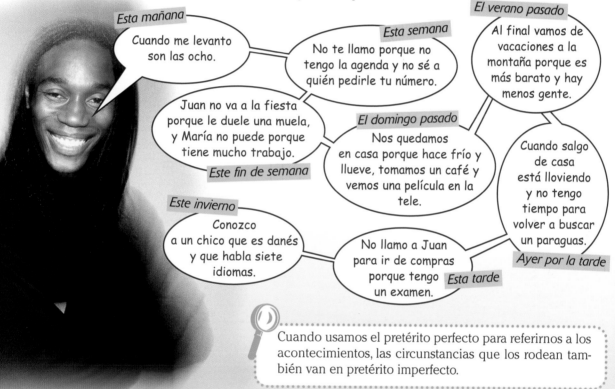

Esta mañana
Cuando me levanto son las ocho.

Esta semana
No te llamo porque no tengo la agenda y no sé a quién pedirle tu número.

El verano pasado
Al final vamos de vacaciones a la montaña porque es más barato y hay menos gente.

Juan no va a la fiesta porque le duele una muela, y María no puede porque tiene mucho trabajo.
Este fin de semana

El domingo pasado
Nos quedamos en casa porque hace frío y llueve, tomamos un café y vemos una película en la tele.

Cuando salgo de casa está lloviendo y no tengo tiempo para volver a buscar un paraguas.
Ayer por la tarde

Este invierno
Conozco a un chico que es danés y que habla siete idiomas.

No llamo a Juan para ir de compras porque tengo un examen. *Esta tarde*

Cuando usamos el pretérito perfecto para referirnos a los acontecimientos, las circunstancias que los rodean también van en pretérito imperfecto.

3.5. Aquí tienes tres noticias más. Conjuga los verbos según la información que aportan, narración o descripción.

Noticias breves

Valioso cuadro robado en una iglesia

Ayer, a las once de la mañana, **(1)** *(desaparecer)* .... de la iglesia donde **(2)** *(encontrarse)* .... expuesto un cuadro firmado por un discípulo de Caravaggio. Según el párroco, cuando se **(3)** *(producir)* .... el robo, en la iglesia **(4)** *(haber)* .... decenas de personas porque se **(5)** *(estar)* .... celebrando la misa, así que la policía no se explica por qué nadie **(6)** *(poder)* .... ver nada si el cuadro **(7)** *(estar)* .... en una capilla próxima al altar mayor.

Psicólogos para animales

El pasado día 23 **(1)** *(licenciarse)* .... la primera promoción de psicólogos para animales. Los recién laureados **(2)** *(estudiar)* .... durante cuatro años el comportamiento de distintas especies. En los laboratorios de la facultad **(3)** *(haber)* .... tarántulas que **(4)** *(estar)* .... deprimidas, gallinas que **(5)** *(sufrir)* .... insomnio e incluso una serpiente que **(6)** *(mostrar)* .... síntomas de paranoia. No obstante, los estudiantes nos **(7)** *(informar)* .... de que **(8)** *(estar)* .... más preparados para tratar a perros y gatos, que **(9)** *(parecerse)* .... más a las personas.

Las rebajas

Ayer **(1)** *(empezar)* .... las rebajas. Centenares de personas **(2)** *(esperar)* .... durante horas ante las puertas de los grandes almacenes la hora de apertura, las diez; muchas, incluso, **(3)** *(pasar)* .... la noche allí porque **(4)** *(querer)* .... ser las primeras.

Lo peor, según **(5)** *(comentar)* .... algunos clientes, **(6)** *(ser)* .... que **(7)** *(hacer)* .... mucho frío y que después, en las tiendas, no se **(8)** *(poder)* .... ni andar porque **(9)** *(haber)* .... demasiada gente. Además, los productos interesantes **(10)** *(desaparecer)* .... enseguida y luego solo **(11)** *(quedar)* .... lo que nadie **(12)** *(querer)* ....

3.6. 👤 🎧 **Escucha los titulares de estas tres noticias y escríbelos en los recuadros.**
[60]

Circunstancias	*Hechos*
1. Titular:	
2. Titular:	
3. Titular:	

3.6.1. A continuación, relaciona las informaciones que vas a escuchar con los titulares
[61] y escríbelas en los recuadros del ejercicio anterior que corresponda, pero ¡ojo!,
primero escucharás solo algunas circunstancias que rodearon los hechos, así
que toma nota debajo de *Circunstancias*.

3.6.2. Finalmente vas a oír la narración de los hechos; haz lo mismo que antes, pero
[62] esta vez toma nota debajo de *Hechos*.

3.6.3. Ya tienes toda la información, ¿por qué no la ordenas junto a tu compañero y
se la contáis al resto de la clase?

3.7. Y, por último, ¿por qué no escribís vosotros las noticias? Aquí tenéis algunos
titulares, pero podéis imaginar otros.

> ### La ONU prohíbe el estudio de la Gramática
> El pasado día 14...

> # Todo el país estuvo 24 horas sin televisión
> Ayer...

> # Nadie vio la final del Mundial
> Anoche...

> ### Ken se deprimió tras la boda de Barbie
> El domingo pasado...

4 Haz memoria

4.1. En esta actividad vamos a hablar de vosotros, así que fijaos en las circunstancias que hay abajo, haced memoria y contad a vuestros compañeros algún momento
de vuestra vida en que se dieron.

Ejemplo: *Cuando me caí, todo el mundo me miraba, ¡qué vergüenza!*

Todo el mundo me miraba	
Quería irme de allí inmediatamente	Estaba un poco mareado/a
Tenía miedo	Quería llamar a la policía
Estaba muy nervioso/a	Necesitaba dinero y no tenía
No podía creerlo	No podía hablar
Me sentía muy ridículo/a	Mi padre estaba muy enfadado
Me dolía todo el cuerpo	Mi pareja no paraba de llorar

4.2.  **Vamos a seguir recordando. Piensa en cosas que creías cuando eras niño y que luego descubriste que eran falsas, cuéntaselas a tu compañero y explícale cómo supiste la verdad. ¿Coincidís?**

Algunas ideas:

- Quién es Papá Noel...
- Qué es la lluvia...
- De dónde sale el dinero...
- Qué les ocurre a los niños malos...

> Cuando tenía cinco años, creía que los niños venían de París.

> ¡Qué tonto! Yo a esa edad ya sabía que salían de una calabaza, me lo contó mi hermano.

4.3. **Para todo en la vida hay una primera vez, por ejemplo para...**

> La primera vez que comí zanahoria fue el año pasado. Era domingo y estaba con mis amigos en el campo; uno de ellos encontró una zanahoria y me invitó a probarla. Ese día no me gustó nada, pero, ahora, soy un adicto.

- Viajar al extranjero
- Tener un reloj
- Viajar en avión
- Ver el mar
- Tener un animal
- Ir a una discoteca
- Suspender un examen
- Hacer un regalo
- Enamorarse
- Dar un beso

- Conducir
- Aprender un idioma
- Escribir una poesía
- Votar en las elecciones
- Llevar corbata o tacones
- Ganar dinero
- Emborracharse
- Tener un coche
- Recibir una carta de amor
- ...

Añade tú otras acciones a esta lista y cuenta a tus compañeros cómo fue la primera vez que hiciste todas estas cosas; no olvides describir cuáles eran las circunstancias.

Pero recuerda que, si no has realizado todavía alguna de estas acciones, debes usar el pretérito perfecto y también si las has realizado en tiempo aún presente:

*Yo **todavía no** he viajado al extranjero.*

*He escrito mi primera poesía **esta semana**.*

4.4. 🧑 🎧 **Unos estudiantes extranjeros cuentan la primera vez que hicieron algo. Tienen**
[63] **algunos problemas con el uso de los pasados, así que escucha lo que dicen, encuentra los cinco errores que cometen y corrígelos.**

Dicen	Deberían decir
1.	
2.	
3.	
4.	
5.	

AUTOEVALUACIÓN

1. En esta unidad has trabajado el contraste de tres tiempos del indicativo, ¿cuáles?

2. ¿Qué te resulta más difícil entender?: ¿el contraste pretérito perfecto/pretérito indefinido o el de estos dos tiempos con el pretérito imperfecto?

3. ¿Existe en tu lengua el pretérito imperfecto? Si no, ¿qué recursos tenéis para expresar sus funciones?

4. Intenta escribir una breve redacción, en pasado, sobre lo que has aprendido acerca de la historia de España en esta unidad.

5. ¿Recuerdas el titular de alguna de las noticias que has leído en esta unidad? Escríbelo.

6. De los tiempos del pasado, ¿cuál sirve para la descripción y cuáles para la narración?

7. Si en lugar de *"Barbie bailaba con su novio"* podemos decir *"Barbie estaba bailando con su novio"*, ¿podemos decir también *"Barbie estaba siendo rubia"* en lugar de *"era rubia"*? Razona tu respuesta.

8. En esta unidad has trabajado con prensa, con historias de niños y con tus propios recuerdos. ¿Qué crees que te ha ayudado más?

1 Promesas, **promesas**

1.1. Lee la publicidad y subraya los verbos.

Regálame la
Silver Wing
y te prometo que
estudiaré mucho.

HONDA
Una promesa es una promesa

Regálame la
Pantheon
y te prometo que
siempre llevaré casco.

HONDA
Una promesa es una promesa

Regálame la
CB1300
y te prometo que no
llegaré tarde nunca más.

HONDA
Una promesa es una promesa

1.1.1. Las promesas tienen relación con el tiempo.

- [ ] pasado

- [ ] presente

- [ ] futuro

El futuro imperfecto

- Se forma con el infinitivo del verbo y estas terminaciones:

Estudiar Aprender + Vivir	é	estudiar**é**
	ás	aprender**ás**
	á	vivir**á**
	emos	llevar**emos**
	éis	comer**éis**
	án	partir**án**

1.1.2. 👤 ✏️ **Encuentra la primera o tercera persona de los doce verbos irregulares del futuro imperfecto y completa el cuadro.**

P	Á	H	A	R	É	E	F	O	R	L	S
O	H	S	W	P	T	F	Á	K	U	A	A
D	S	X	A	J	U	R	P	W	L	L	B
R	T	V	E	N	D	R	É	D	P	F	R
É	S	I	Y	L	E	Y	R	Z	G	Ñ	É
W	Í	K	A	T	S	É	Q	N	W	O	J
T	Ñ	V	C	I	T	Ñ	Y	A	C	J	K
E	P	W	L	Ñ	P	Á	R	B	A	H	R
N	J	P	O	N	D	R	É	R	B	I	L
D	O	Y	I	R	E	D	T	U	R	P	Ñ
R	G	N	L	Q	U	E	R	R	Á	T	Ó
É	R	I	D	S	D	Y	U	O	L	M	C

🔍 **¡Solo hay doce verbos irregulares en futuro imperfecto!**

1. Cae la vocal **-e-**:
haber, poder, saber, caber, querer
habrá......................................
....
....

2. Cae la vocal y aparece una **d**:
poner, tener, valer, venir, salir
....
....
....

3. Otros:
decir, hacer
....
....

Para prometer algo

- *Te prometo* + infinitivo

  Te prometo ir, de verdad.

- *Te prometo que* + futuro

  Te prometo que iré.

- *Te lo prometo*

  Iré, te lo prometo.

  ¡Prometido!

  Te doy mi palabra.

  Lo haré sin falta.

1.2. 👥 🗨️ **Tu compañero y tú tenéis problemas con vuestras obligaciones. Regáñale por no haber hecho ciertas cosas y cuando él te regañe a ti, busca excusas y promete hacerlas en el futuro.**

Ejemplo:

Alumno A: **Preparar las maletas:** *¿Todavía no has preparado las maletas?*

Alumno B: **No has preparado las maletas porque estás estudiando:** *No, pero **te prometo que** las **prepararé esta noche**. **Es que** estoy estudiando.*

alumno a

1. Llamar a su madre.
2. Hacer los ejercicios.
3. Comprarte el periódico.
4. Arreglar su habitación.

alumno b

1. Traerte tus libros.
2. Ir a la embajada.
3. Contestar el e-mail de Raúl.
4. Apuntarse a la excursión del jueves.

2 En un **futuro...**

2.1. 🔲 ✏️ **Forma frases con un elemento de cada columna.**

La semana que viene •	• vienen •	• mis padres a verme
Dentro de dos meses •	• pienso coger •	• dos meses de vacaciones
A las cinco •	• voy a visitar •	• informática
Este año •	• vamos a sacar •	• Granada, dicen que es preciosa
El próximo año •	• quiero estudiar •	• al perro, ¿vienes con nosotros?

2.1.1. 🔲 ✏️ **Ahora, teniendo en cuenta las frases que has formado, completa este cuadro sobre otras expresiones verbales que expresan tiempo futuro. Después, incluye las frases anteriores en el apartado correspondiente.**

Expresiones verbales que expresan futuro

- Presente de indicativo

  Ejemplo:

- Presente de indicativo de los verbos [   ] y [   ] + [   ]

  Ejemplos:

- Presente de indicativo del verbo [   ] + a + [   ]

  Ejemplos: A las cinco vamos a sacar al perro.

2.2. 🔲 🎧 **Escucha estas conversaciones y anota cuándo se va a realizar la acción.**

[64]

① [   ] ③ [   ]

② [   ] ④ [   ]

2.3. 🔲 ✏️ **Imagina cómo será tu vida dentro de diez años, escríbelo en una hoja y dásela a tu profesor. Luego, el profesor repartirá las redacciones entre los compañeros de la clase.**

2.3.1. 👥 🗨️ **Ahora, lee el texto que te ha tocado e intenta adivinar de qué compañero se trata. Recuerda las formas para dar opinión o para mostrar que no estás seguro.**

Creo que... porque...

Me parece que... porque...

2.4. [icon] [icon] **Para entender mejor los usos del futuro, coloca los ejemplos en su lugar.**

1. Pasaré 5 días, aproximadamente, en Vigo.
2. El próximo año nuestra empresa crecerá un 6%.
3. Si vienes mañana a casa, te enseño las fotos de las vacaciones.
4. No sé si querrá comer carne.
5. Me imagino que tendrá 20 ó 22 años.
6. Te prometo que estudiaré mucho.
7. En febrero conocerás al gran amor de tu vida.
8. Supongo que tendrás hambre, ¿no?
9. Creo que llegaré a las tres, pero no lo sé seguro.
10. Necesitaré un kilo de azúcar más o menos.
11. Iré a tu casa un día de estos, no te preocupes.
12. Te juro que no volveré a llegar tarde.
13. No sé dónde estarán las llaves.
14. Si vienes mañana a casa, te enseñaré las fotos de las vacaciones.
15. Mañana lloverá en toda España.
16. No sabemos cuándo llegará tu hermano.
17. Ese bolso valdrá 50 euros o así.
18. Te aseguro que no se lo diré.

Usos del futuro imperfecto

1. **Para hacer conjeturas. Hablar de cosas del presente o futuro, pero de las que no estamos seguros. Hablar sin ser exactos, sin seguridad:**

- **Creo que**
- **Me imagino que** } + futuro imperfecto
- **Supongo que**

a)

b)

c)

- **No sé** { **si** **cuándo** **dónde** } + futuro imperfecto

d)

e)

f)

2. **Para hablar de algo sin precisar, utilizamos las siguientes expresiones:**

- **aproximadamente**

g)

- **...o así**

h)

- **más o menos**

i)

- **un día de estos**

j)

3. **Para hacer promesas:**

- **Te prometo que**
- **Te juro que** } + futuro imperfecto
- **Te aseguro que**

k)

l)

m)

4. **Para hacer predicciones (en climatología, planes, horóscopos...):**

n)

ñ)

o)

5. **Para hablar de acciones futuras que dependen de una condición:**

- **Si + presente de indicativo + presente o futuro imperfecto:**

p)

q)

3 Si...

3.1. Lee el texto de esta publicidad. Di si estas afirmaciones son verdaderas o falsas y justifica tu respuesta.

SI TE GUSTA LA BUENA MESA,
ENCONTRARÁS MÁS DE CUATROCIENTOS RESTAURANTES

Si te vuelve loco ir de compras, en Andorra encontrarás más de 4000 comercios. Si te gusta hacer deporte, encontrarás las mejores instalaciones del Pirineo. Si quieres olvidarte de todo y relajarte, encontrarás Caldea, con más de veinte *jacuzzis*, saunas y zonas de relajación. Si te apasiona el románico, encontrarás uno de los mejores del mundo. Si quieres disfrutar de todo esto y mucho más, encontrarás más de 150 hoteles de todas las categorías donde poder alojarte.

Y si, además, eres de los que aman la naturaleza, encontrarás refugios, caminos y rutas para practicar tu deporte favorito.

DISFRUTA. TU PAÍS ES ANDORRA
ANDORRA, EL PAÍS DE LOS PIRINEOS

	Verdadero	Falso
1. Andorra es un buen lugar para hacer compras.	☐	☐
2. Si te gusta el deporte, Andorra no es tu destino.	☐	☐
3. Andorra es un país estresante.	☐	☐
4. En Andorra solo hay hoteles de cinco estrellas.	☐	☐
5. En este país puedes hacer compras, deporte, visitar iglesias y estar en contacto con la naturaleza.	☐	☐

3.2. Ahora, escribe una publicidad parecida pero con tu país, tu región o tu ciudad. Respeta lo que está ya escrito.

SI TE GUSTA ....
ENCONTRARÁS ....

Si .... , encontrarás ....

   Si buscas ...., ...

Si te vuelve loco ...., ...

      y conocerás ....

        ¡Ven a ....!

        ¡Será ....!

3.3. 👥 ✏️ **En este bolero, el enamorado le habla a la enamorada del futuro de los dos. Este futuro depende de una condición: *si les dejan*. Pero antes de escucharlo, completa los espacios intentando imaginar qué planes tienen.**

> **¡Recuerda!**
> Para hablar de condiciones de las que dependen acciones futuras usamos:
> **si + presente de indicativo + verbo 2**
> El verbo 2 habla del futuro y puede estar en presente de indicativo, *ir + a + infinitivo* o futuro imperfecto.

Si nos dejan,
nos ....
toda la vida.
Si nos dejan,
nos ....
a un mundo nuevo.
Yo creo
que podemos ver el nuevo amanecer
de un nuevo día.
Yo siento
que tú y yo podemos ser felices
todavía.

Si nos dejan,
.... un rincón
cerca del cielo.

Si nos dejan, ...
de las nubes
terciopelo,
y allí, juntitos los dos,
cerquita de Dios,
será lo que soñamos.

Si nos dejan,
te .... de la mano, corazón,
y allí nos ....

Si nos dejan,
de todo lo demás
nos ....
Si nos dejan,
si nos dejan.

Tomás Alcón

3.3.1. 👥 🎧 **Ahora, escucha y comprueba tus respuestas. ¿Se parece la canción a la versión que habéis imaginado?**
[65]

3.4. 👥👥 💬 **¿Qué cosas haréis en clase si os dejan?**

AUTOEVALUACIÓN

1. **¿Para qué sirve el futuro? Te damos los ejemplos, completa tú la explicación del uso con tus propias palabras.**

   1. Te prometo que iré a verte ....
   2. Si hace buen tiempo, saldremos ....
   3. Imagino que tendrá mucho trabajo ....
   4. Mañana lloverá en el norte de la Península ....

2. **En la siguiente lista de verbos, señala los futuros irregulares y escribe al lado su infinitivo.**

☐ cabrá	☐ irán	☐ seréis ....
☐ comeremos	☐ podréis	☐ sugeriremos ....
☐ compraré	☐ pondrá	☐ tendré ....
☐ conocerás	☐ querremos	☐ valdrá ....
☐ diréis	☐ sabréis	☐ venderán ....
☐ habrá	☐ saldrá	☐ vendrán ....
☐ harás	☐ saltará	☐ viviré ....

Unidad 18

Contenidos funcionales
- Hacer conjeturas en pasado
- Dar consejos y sugerencias
- Referirnos al futuro respecto al pasado
- Expresar cortesía

Contenidos gramaticales
- Condicional simple: morfología y usos

Contenidos léxicos
- El consultorio
- La farmacia

Contenidos culturales
- Literatura: Fernando del Paso, Don Juan Manuel

---

1 Yo que tú lo estudiaría

1.1. Lee estos diálogos. En ellos aparece un tiempo nuevo, el condicional simple.

a

Por favor, ¿podría traerme un poco de pan?

Enseguida, caballero.

¿Se puede saber a qué hora volviste anoche?

b

No sé, mamá... serían las doce o las doce y media.

No sé qué película ir a ver, si "La casa de los espíritus" o "Como agua para chocolate".

d

Me gustaría verte pronto, tengo muchas ganas.

c

Yo que tú iría a ver "Como agua para chocolate", es mejor.

Toma, pensaba que estaría mejor, que me divertiría, pero es aburridísimo...

Pues a mí me gustó...

e

1.1.1. En cada uno de los diálogos, el condicional cumple una función distinta. Son las que tienes aquí abajo; relaciónalas con los diálogos.

1. Expresar cortesía. .... ☐

2. Acción futura respecto a otra pasada.............. ☐

3. Aproximación o probabilidad de pasado. .... ☐

4. Dar consejos o hacer sugerencias. .... ☐

5. Expresar un deseo como hipótesis de presente o futuro. ☐

1.1.2. [icon] [icon] **Aquí tienes el infinitivo de los verbos que has visto en los diálogos y, a la derecha, las terminaciones del condicional que no han aparecido. Busca las otras en los diálogos y completa la tabla.**

Ir	Yo	
Ser	Tú	-ías
Poder	Él/ella/usted	
Gustar	Nosotros/as	-íamos
Estar	Vosotros/as	-íais
Divertir	Ellos/ellas/ustedes	

1.1.3. [icon] [icon] **¿Has visto? El condicional simple se forma con el infinitivo más la terminación, que es la misma para las tres conjugaciones.**

• Ahora, si te fijas bien, verás que entre los verbos anteriores hay uno irregular. ¿Cuál? Escríbelo aquí: ☐

• Y si te fijas un poco mejor, descubrirás que esta misma irregularidad la has estudiado ya antes en otro tiempo verbal, ¿en cuál?:

☐ presente ☐ pretérito indefinido ☐ pretérito imperfecto ☐ futuro imperfecto

• Así es, el condicional simple tiene los mismos verbos irregulares que este tiempo. Si haces un poco de memoria y escribes las raíces de sus doce irregulares, tendrás completa ya toda la morfología del condicional simple.

1. podr
2.
3.
4.
5.
6. har
7.
8.
9.
10.
11.
12.

+

-ía
-ías
-ía
-íamos
-íais
-ían

1.1.4. 👤 ✏️ Completa estos diálogos.

¿Te *(importar)* .... cerrar la puerta? Es que entra un frío...

¡Qué raro! Dijo que *(llegar)* .... a las seis y son ya las siete y cuarto.

Es verdad y prometió que *(ser)* .... muy puntual.

Está en el paro y la semana pasada se compró un descapotable y, ayer, ese abrigo.

Yo en tu lugar me *(tomar)* .... unas vacaciones y me *(ir)* .... a algún sitio para tratar de olvidarla.

Ya, pero es que me *(gustar)* .... tanto poder hablar con ella, explicarle lo que ha pasado...

No sé, le *(tocar)* .... la lotería de Navidad o te *(mentir)* .... cuando te dijo que estaba en el paro.

1.1.5. 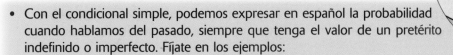 Lee de nuevo, en el dibujo del bar, la respuesta del camarero que habla con la clienta y, sin mirar el cuadro que tienes a continuación, escribe cuál de las cinco funciones del condicional que has visto al principio de la unidad crees que cumple aquí.

- Con el condicional simple, podemos expresar en español la probabilidad cuando hablamos del pasado, siempre que tenga el valor de un pretérito indefinido o imperfecto. Fíjate en los ejemplos:

  ▶ ¿Cuándo **llamó** Alberto?　　　▶ ¿Quién **era** la chica que iba con Antonio?

  ▷ No sé, **llamaría** ayer.　　　　　▷ **Sería** su hermana.

  └─────── No lo sabemos, es una conjetura ───────┘

- También podemos expresar la aproximación en el pasado:

  ▶ ¿Cuánta gente **había** en la fiesta?　　▶ ¿Cuánto te **costó** el bolso?

  ▷ Pues **habría** unas diez personas.　　　▷ No me acuerdo, pero **serían** 30 euros, más o menos.

1.1.6. Mirando la escena del bar, responde a la preguntas que tienes abajo haciendo conjeturas. Debes tener en cuenta que todo sucedió ayer por la tarde.

1. ¿Por qué el cliente que entró tenía ese aspecto tan lamentable?, ¿qué le pasaba?

2. ¿A quién esperaban las dos amigas y por qué se retrasaba esa persona?

3. ¿Por qué lloraba el chico y qué tenía que explicar a la chica de quien hablaba?

4. ¿Por qué la señora del abrigo tenía tanto dinero si estaba en el paro?

5. ¿Por qué los chicos que iban por la calle estaban vestidos de Drácula y bailarina?

1.1.7. Presentad al resto de la clase vuestras hipótesis y comparadlas con las de vuestros compañeros para, luego, elegir entre todos las que os parezcan mejores o más imaginativas.

2 ¿Qué **harías** tú?

2.1. ¿Quieres saber lo que le ocurría realmente al chico que lloraba en el bar? Lee la carta que ha escrito a un consultorio sentimental de la radio.

Querida Consuelo Desgracias:

Me he decidido a escribirle esta carta porque estoy desesperado y creo que debería aconsejarme. Hace dos años empecé una relación con una mujer de quien me siento profundamente enamorado. En este momento, sigo casado con mi esposa y tenemos dos hijos. El problema es que no sé qué hacer. Mi matrimonio no funciona y estoy muy enamorado de esta persona, pero no soy capaz de abandonar a mi esposa e hijos, y mi mujer no sabe nada. ¿Qué debería hacer? La mujer a la que realmente amo me ha dicho que tendría que contarle la verdad a mi esposa y que de esta manera se solucionarían mejor las cosas. ¿Usted qué haría en mi lugar? ¿Estaría bien hablar con ella? ¿Debería dejar a mi amante? No sé qué hacer, necesito su consejo.

Un saludo,

Aries

2.1.1. 🧍📖 **Antes de ver qué consejos le han dado a nuestro amigo Aries, vamos a echar un vistazo a este cuadro funcional.**

El condicional simple está presente en muchos de los recursos que tenemos en español para dar consejos o hacer sugerencias. Fíjate:

1. Nos ponemos en lugar de la otra persona, en su situación, para decir lo que nosotros haríamos.

- Yo que tú...
- Yo en tu lugar... ⎫
- Si yo fuera tú... ⎬ **+ condicional**
- Yo... ⎭

    – *Deberías trabajar menos.*
    – *Yo que tú no iría.*
    – *Tendrías que hablar con él.*

2. Proponemos, como una hipótesis, lo que creemos que la otra persona debería hacer.

- Deberías ⎫
- Tendrías que ⎬ **+ infinitivo**
- Podrías ⎭

    – *Yo en tu lugar esperaría un poco.*
    – *Podrías llamarle y explicárselo.*
    – *Yo le regalaría un reloj.*

2.1.2. 👥💬 **Leed los consejos que le han dado a Aries algunas personas de su entorno. Adivinad a quién de las personas que tenéis en el recuadro pertenece cada uno de ellos.**

Después de la separación, debería pasar una pensión a su mujer y establecer visitas semanales a los niños. **A**

Deberías ser honesto, hablar con tu mujer e intentar arreglar el problema de la manera más conveniente para todos. **C**

Yo que tú no diría nada a nadie y estaría con las dos a la vez. **B**

Yo no dejaría pasar ni un día más y le contaría toda la verdad. **D**

¿Quién dices que es esa? Deberías salvar tu matrimonio y ser un buen padre y marido. **E**

Yo en su lugar hablaría con claridad del tema, intentaría conservar un diálogo permanente y establecería un compromiso respecto a la educación de los niños. **F**

Su madre .... ☐   Su amante .... ☐

Un consejero matrimonial .. ☐   Su abogado .... ☐

Un buen amigo .... ☐   Un solterón .... ☐

2.1.3. 🧍📝 **Ahora, con tu compañero y usando las estructuras que acabas de ver, os vais a convertir en consultores sentimentales para responder a Aries.**

Querido Aries:

2.2. Vamos a hacer, para practicar, un poco de terapia de grupo. Pídele consejo a tu compañero acerca de tus problemas y aconséjale también a él en los suyos. Son estos.

alumno a

- Tienes que dar una conferencia y estás muy nervioso.

- Te has peleado con tu pareja por una tontería.

- Te has enamorado de la pareja de tu mejor amigo.

- Necesitas unas vacaciones pero no sabes dónde ir.

- En tu casa hay un fantasma, las cosas se cambian solas de sitio y se oyen pasos y voces.

alumno b

- Tu madre y tu suegra se llevan fatal y os fastidian todas las fiestas familiares.

- Mañana tienes una entrevista de trabajo y estás histérico.

- Has tenido un accidente con el coche de tu jefe; tú estás bien, pero el Mercedes, siniestro total.

- El vecino de arriba es terriblemente ruidoso.

- Has descubierto que tu mejor amigo tiene problemas con el alcohol.

3 En la **farmacia**

3.1. ¿Te acuerdas del personaje que entró en el bar con tan mal aspecto? Pues aquí lo tienes de nuevo, en una farmacia. Pero antes de ocuparnos de él, averigua, relacionando las imágenes con los nombres, cómo se llaman estas cosas que puedes comprar en una farmacia.

a. Venda ....

c. Jarabe ....

e. Algodón............

g. Alcohol ....

b. Jeringuilla........

d. Supositorio......

f. Aspirina ....

h. Tirita ....

3.1.1. Ahora te damos las definiciones, relaciónalas con los nombres y las imágenes.

1	Venda	a	Sirve para poner una inyección
2	Algodón	b	Sirve para limpiar una herida
3	Jeringuilla	c	Sirve para proteger una herida
4	Aspirina	d	Sirve para desinfectar una herida
5	Jarabe	e	Sirve para quitar el dolor de cabeza o muscular
6	Alcohol	f	Lo tomamos cuando estamos enfermos
7	Supositorio	g	Nos lo ponemos cuando estamos enfermos
8	Tirita	h	Con ella envolvemos una parte del cuerpo para protegerla

3.2. 👥 💬 **Aquí tenéis el diálogo que han mantenido nuestro personaje y el farmacéutico, pero, ¡atención!, está desordenado, así que ordenadlo.**

○——————[Cliente:] Pues... una caja de aspirinas también.

○————[Farmacéutico:] Aquí tiene. ¿Necesita algo más?

○——————[Cliente:] Muy bien. Voy a llevármelo.

○————[Farmacéutico:] ¿Pastilla normal o efervescente?

○——————[Cliente:] Preferiría efervescentes. ¿Cuánto es todo?

○————[Farmacéutico:] ¡Buenos días! ¿Qué quería?

○——————[Cliente:] Verá, es que tengo mucha tos y me duele la garganta, ¿podría recomendarme algo eficaz?

○————[Farmacéutico:] 5,54 euros.

○——————[Cliente:] ¿Le importaría repetirme la dosis?

○————[Farmacéutico:] Sí, desde luego. Yo que usted tomaría este jarabe. Una cucharada cada ocho horas.

○————[Farmacéutico:] Una cucharada cada ocho horas, cada ocho horas, ¿eh? Tres veces al día es suficiente.

3.2.1. 👤 🎧 **Ahora vais a escuchar el diálogo, comprobad si lo habéis ordenado correcta-**
[66] **mente.**

3.2.2. 👤 ✏️ **Contesta a estas preguntas sobre el diálogo; si es necesario, vuelve a escucharlo.**

> **1.** ¿Qué dosis de jarabe debe tomar cada día? ....
>
> **2.** Escribe la frase que utiliza el farmacéutico para dar consejo al cliente: ....
>
> **3.** ¿Qué tipo de aspirinas quiere comprar?...
>
> **4.** Escribe la frase que utiliza el cliente para pedir consejo al farmacéutico:................................
>
> **5.** ¿Qué síntomas tiene el cliente? ....

3.2.3. 👤 ✏️ **Escribe en el cuadro funcional las fórmulas de cortesía que han aparecido en el diálogo y pon algunos ejemplos.**

• También, con el condicional simple, expresamos a menudo cortesía para con nuestros interlocutores. Esto depende, por supuesto, del grado de confianza que tengamos con ellos y de la situación en la que estemos. No es lo mismo hablar con un desconocido que con un amigo y, a un amigo, tampoco es lo mismo pedirle prestados 30 euros que 300. Fíjate:

– *¿Puedes dejarme 30 euros? Mañana te los devuelvo.*
– *¿Podrías dejarme 300 euros? Es que me hacen mucha falta.*

• La diferencia, en este caso, la marca el tiempo verbal; en otros casos, se marca con fórmulas de pura y simple cortesía, y con *tú* o *usted*, mira:

– *Por favor, ¿puede cerrar la puerta?*
– *¿Puedes cerrar la puerta?*

• Escribe ahora tú las fórmulas de cortesía que conoces y sus ejemplos respectivos:

....
....
....

3.3. 👤 ✏️ **Estás en un país lejano. Has perdido las tarjetas y no tienes dinero. Debes pagar el hotel mañana por la mañana. Escribe un correo electrónico a estas dos personas contándoles tu situación y pidiéndoles ayuda. Ten en cuenta la relación para el uso de las formas de cortesía.**

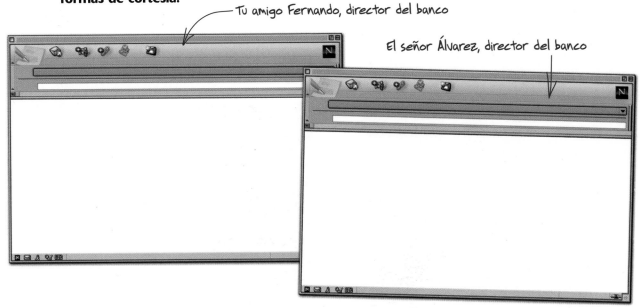

Tu amigo Fernando, director del banco

El señor Álvarez, director del banco

3.4. 👥 🗨️ **Pide a tu compañero que realice estas acciones para ti. Podéis ampliar las conversaciones y representarlas después ante toda la clase.**

Ejemplo: Necesitas recoger un análisis de sangre en la farmacia.

| Alumno A: | ¿Podrías recogerme el resultado del análisis de sangre? |
| Alumno B: | Si tengo tiempo, paso luego. |

alumno a

1. Tienes que ir al taller mecánico a recoger el coche. Como tienes el brazo escayolado, no puedes ir. Pides a tu hermano que vaya.

2. Piensa en recuerdos que puedes comprar de tu país y aconseja a tu compañero.

3. Vas por la calle buscando una farmacia. Pides a un peatón que te explique cómo llegar a la más cercana.

4. Tienes alergia al chorizo. No puedes acercarte a uno porque te llenas inmediatamente de granos.

alumno b

1. Tu hermano te pide que vayas al taller a recoger su coche, pero hoy no tienes tiempo.

2. Vas a ir de vacaciones al país de tu compañero. Pídele que te dé ideas de los regalos que puedes comprar.

3. La farmacia está al lado de una cafetería que tú conoces. Explica cómo llegar.

4. Necesitas un trozo de chorizo, pero no puedes ir a comprarlo porque estás preparando la comida. Pídele amablemente a tu compañero de piso que baje por ti.

AUTOEVALUACIÓN

1. **Escribe las funciones del condicional simple que has estudiado en esta unidad.**

2. **¿Cuál de ellas te ha resultado más difícil y necesitarías seguir practicando?**

3. **Hasta ahora, cuando entrabas en una tienda o te dirigías a personas desconocidas, ¿qué fórmulas de cortesía empleabas?**

4. **Intenta explicar por qué usamos el condicional al dar consejos con las estructuras:** *yo que tú, yo en tu lugar...*

Contenidos funcionales
- Pedir y conceder permiso
- Expresar prohibición
- Dar consejos o recomendaciones
- Dar órdenes o instrucciones
- Expresar deseos o peticiones
- Invitar u ofrecer

Contenidos gramaticales
- Imperativo afirmativo
- Imperativo negativo
- Morfología del presente de subjuntivo
- Introducción a los usos del subjuntivo

Contenidos léxicos
- Las tareas domésticas
- La vida familiar: normas de convivencia
- Aprender un idioma

Contenidos culturales
- Literatura: Ricardo León

1 Mirad a la cámara, sonreid...

1.1. **Mira la foto y determina quién es quién en esta familia.**

a. Juan (hijo) ....

b. Sr. García (padre) ....

c. Sra. García (madre) ....

d. Bruno (estudiante extranjero) ....

e. Carmen (hija) ....

1.2. **Bruno es un estudiante extranjero que ha llegado a Valladolid para estudiar español. Vive con una familia, los García, pero todavía no tiene confianza con ellos y pide permiso para todo. Relaciona sus peticiones con las respuestas que le dan.**

1. ¿Puedo abrir la ventana?

2. ¿Podría cargar la batería del móvil?

3. ¿Me permiten llamar un momento a mis padres?

4. Necesito ducharme, ¿les importa?

5. Tengo que mandar un e-mail, ¿es posible?

6. He olvidado traerme espuma de afeitar. Juan, ¿te importaría dejarme la tuya?

7. Estoy muy cansado del viaje, ¿podría acostarme un rato?

8. Tengo mucha sed, ¿puedo tomar un vaso de agua?

CONTINÚA ......

a. Claro que no, usa esta toalla. .... □

b. Sí hombre, marca primero el prefijo 00. .... □

c. Sí, tranquilo, vete a tu cuarto, te avisaremos para la comida. .... □

d. Sí, ábrela, ábrela, que hace calor. .... □

e. Por supuesto, ven a mi cuarto, allí está el ordenador. .... □

f. Enchufa el cargador ahí. .... □

g. Cógela, está en el mueble del baño. .... □

h. Claro, Bruno. Mira en la nevera, que hay refrescos también. .... □

1.2.1. 👥 🖉 **Bruno ha pedido permiso de diferentes maneras. Escríbelas en la siguiente tabla.**

1.2.2. 👥 🖉 **¿Qué modo verbal han usado los García en 1.2. para darle permiso a Bruno? Márcalo.**

□ Indicativo

□ Condicional

□ Imperativo

Como ya viste en *la unidad 11*, este modo se usa no solo para dar órdenes, sino también para conceder permiso o denegarlo.

1.2.3. 👥 🖉 **Pon todos los imperativos de 1.2. donde corresponda.**

regulares

irregulares

1.2.4. 👤 🖉 **Vamos a ver si te acuerdas de las terminaciones del imperativo afirmativo. Aquí tienes una tabla, complétala.**

	habl-ar	*le-er*	*escrib-ir*
Tú			
Usted			
Vosotros			
Ustedes			

1.2.5. 👥 ✏️ **Recuerda que el imperativo mantiene las irregularidades vocálicas del presente de indicativo. Ahora, clasifica los verbos de la tabla según su irregularidad y conjuga la segunda persona del singular:** *tú* **y** *usted.*

	e>ie	o>ue	e>i	u>ue	i>y
Volver					
Pedir					
Pensar					
Jugar				juega juegue	
Construir					
Empezar					
Contar					
Vestirse					
Huir					

1.2.6. 👥 ✏️ **Como ya sabes, hay otros verbos que también son irregulares en el imperativo afirmativo; algunas irregularidades son propias para la persona** *tú.* **Completa este cuadro con todas las personas del imperativo:** *tú, usted, vosotros* **y** *ustedes.*

Ir	Venir	Salir	Tener	Hacer	Poner	Decir	Saber	Ser	Conocer	Oír
ve										
		salga								
	venid									
			tengan							

1.2.7. 👥 ✏️ **Tú y tu compañero podéis ayudar a Bruno a integrarse en su familia española. Escribid una lista con ocho sugerencias para que se adapte sin problemas.**

Ejemplo: *Recoge tu ropa.*

1. ....
2. ....
3. ....
4. ....

5. ....
6. ....
7. ....
8. ....

Conceder permiso

Sí, sí.	*Por supuesto.*	*Sí, hombre, sí.*
Claro que sí.	*Desde luego.*	*Vale.*

- *Imperativo*

  Cógelo, cógelo.

- *Para conceder permiso de una manera restringida:*

  Sí, pero + imperativo

  No, (mejor) + imperativo

  ▷ *¿Te importaría dejarme tu diccionario?*

  ▶ *Sí, pero devuélmelo lo antes posible porque lo necesito para hacer la traducción.*

1.2.8.  Ahora, imaginad, por un lado, que Bruno quiere pedir permiso para hacer otras cosas, ¿cómo lo haría? Tratad de usar estructuras o tiempos diferentes en cada caso. Por otro lado, pensad cómo responde la Sra. García a esas peticiones para concederle permiso.

1. Colocar sus discos en la estantería del salón.

¿Puedo colocar mis CD en la estantería del salón?

No, mejor colócalos en el cajón.

2. Hacerse una fotografía con los García para mandársela a sus padres.

3. Usar los cajones de una cómoda para guardar su ropa interior.

4. Dejar la bolsa de aseo en el mueble del baño.

5. Mover el escritorio para ponerlo más cerca de la ventana.

6. Hacer una copia de las llaves de la casa para él.

1.2.9. Ahora, en parejas, vamos a pedir y a conceder permiso.

Ejemplo: ▷ *¿Puedo tomar tu boli prestado?*

▶ *Vale, pero devuélmelo después.*

• Tomar un boli prestado.

• Pedir dinero prestado para tomar café.

• Abrir la ventana o cerrarla.

•

•

•

•

2 ¡No te olvides!

2.1. Bruno, en su primer día, ha oído un montón de palabras y expresiones nuevas, todas sobre la casa y las tareas domésticas. Ayúdale a buscarlas en el diccionario y a clasificarlas en su cuaderno.

> cajón • bolsa de aseo • cesto de la ropa sucia • pasar la aspiradora • poner la lavadora •
> cómoda • plancha • trastero • mando a distancia • bajar la basura • planchar •
> sacar al perro • regar las plantas • toalla • sábanas • quitar el polvo • maquinilla •
> hacer la compra • tijeras • percha • horno • enchufe • tender la ropa • poner la mesa •
> cafetera • papel higiénico • peine • hacer la cama • fregar • cacharros • sartén

TAREAS DOMÉSTICAS	ASEO	COCINA	DORMITORIO	APARATOS Y OTROS

2.1.1. [67] Escucha cómo la señora García le explica a Bruno algunas cosas de la casa; va a usar doce de las palabras y expresiones que acabas de ver en el ejercicio anterior, subráyalas.

2.1.2. [67] Escucha de nuevo, pero ahora toma nota de lo que dice la señora García sobre cada uno de los temas que tienes abajo. Fíjate especialmente en los imperativos.

La habitación	La ropa	Las comidas	La compra

2.1.3. 👤 🎧 Durante la conversación, Carmen le daba órdenes al perro. Cuatro de estos
[67] dibujos muestran la reacción de Balú a las órdenes de su ama, señala cuáles y
escribe la orden.

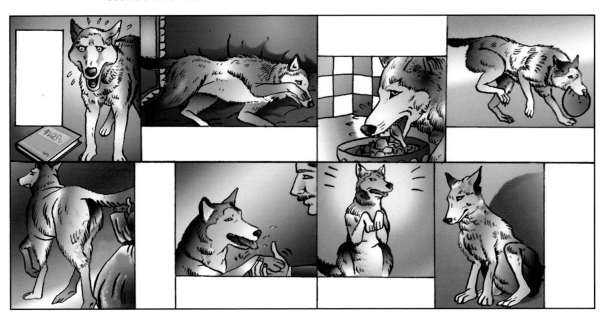

2.2. 👥 📖 Cuando Bruno ha vuelto de las clases de la tarde, ha encontrado estas notas en
su escritorio; léelas y adivina quién ha escrito cada una.

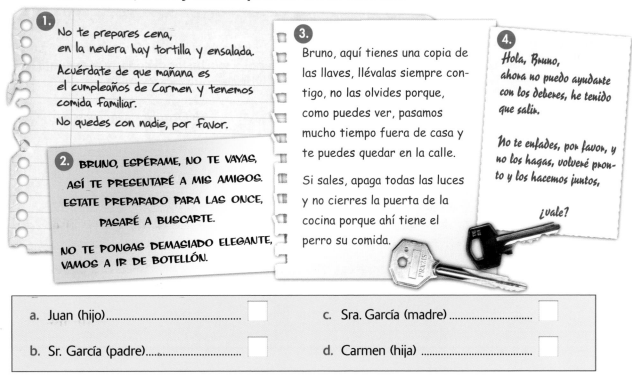

1.
No te prepares cena,
en la nevera hay tortilla y ensalada.
Acuérdate de que mañana es
el cumpleaños de Carmen y tenemos
comida familiar.
No quedes con nadie, por favor.

2. BRUNO, ESPÉRAME, NO TE VAYAS,
ASÍ TE PRESENTARÉ A MIS AMIGOS.
ESTATE PREPARADO PARA LAS ONCE,
PASARÉ A BUSCARTE.
NO TE PONGAS DEMASIADO ELEGANTE,
VAMOS A IR DE BOTELLÓN.

3.
Bruno, aquí tienes una copia de
las llaves, llévalas siempre con-
tigo, no las olvides porque,
como puedes ver, pasamos
mucho tiempo fuera de casa y
te puedes quedar en la calle.
Si sales, apaga todas las luces
y no cierres la puerta de la
cocina porque ahí tiene el
perro su comida.

4.
Hola, Bruno,
ahora no puedo ayudarte
con los deberes, he tenido
que salir.

No te enfades, por favor, y
no los hagas, volveré pronto y los hacemos juntos,

¿vale?

a. Juan (hijo).................... ☐	c. Sra. García (madre) .... ☐
b. Sr. García (padre)....................... ☐	d. Carmen (hija) .... ☐

2.2.1. 👥 ✏️ Observa que en estas notas aparecen órdenes, consejos, instrucciones..., tanto
en forma afirmativa como negativa. Separa los imperativos en esta tabla.

Imperativos afirmativos	*Imperativos negativos*

Imperativo negativo

Si quieres aprender rápido el imperativo negativo, solamente tienes que saber la forma del imperativo afirmativo de **usted**, y añadir una **-s** para **tú**, e **-is** para la persona **vosotros/as**.

Usted coma
$\begin{cases} + \mathbf{s} \Rightarrow (tú) \text{ no coma}\mathbf{s} \\ + \mathbf{is} \Rightarrow (vosotros) \text{ no comá}\mathbf{is} \end{cases}$

Usted	Tú	Vosotros/as
trabaje más	no trabaje-**s**	no trabajé-**is**
venda más	no venda-**s**	no vendá-**is**
abra pronto	no abra-**s**	no abrá-**is**

> ¿Has visto? Los pronombres complemento, en el imperativo negativo, se ponen delante del verbo: *"No te vayas"*.
>
> Recuerda que con el pronombre **os**, la **d** de la segunda persona del plural desaparece: ***"Sentaos"***.

2.3. Bruno, que es muy empírico, ha practicado el imperativo negativo con Balú. Pon las frases en forma negativa y tendrás las órdenes que le ha dado al perro. ¡Ojo con los pronombres!

1. Siéntate ....

2. Dame la mano ....

3. Coge la pelota ....

4. Ladra ....

5. Túmbate...

6. Salta ....

7. Ponte a dos patas ....

8. Cómete los apuntes........................

2.4. Nuestro Bruno se pasa el día pidiendo consejo a sus profesores, quiere saber [68] qué puede hacer para mejorar su español. Escucha los diálogos y toma nota, primero, solo de los imperativos afirmativos con que le aconsejan.

Imperativos afirmativos	Imperativos negativos

2.4.1. Vuelve a escuchar, pero esta vez fíjate en los imperativos negativos y anótalos.
[68]

2.4.2. ¿Estás de acuerdo con los profesores de Bruno? Comenta con tus compañeros qué consejos, por vuestra experiencia, os parecen más útiles.

2.4.3. ¿Qué otros consejos puedes dar a tus compañeros sobre el aprendizaje del español?

3 Pide un deseo

3.1. 👥 📝 **Después de su primera clase en España, Bruno ha vuelto muy contento a casa. Hoy han estudiado en la escuela el presente de subjuntivo, pero cuando iba a hacer los deberes se ha dado cuenta de que Balú ha estado jugando con el cuaderno y le ha manchado y roto varias páginas. Ayúdale a reconstruir sus apuntes con la única hoja que se ha salvado.**

Presente de subjuntivo

- **Terminaciones:** { Verbos en **-ar** ➡ **-e**
  { Verbos en **-er, -ir** ➡ **-a**

- **Verbos irregulares:**

  Si conocemos bien las formas del presente de indicativo, podemos deducir el presente de subjuntivo.

  - Las irregularidades vocálicas (**o>ue, e>ie, u>ue**) son exactamente iguales.
  - **e>i**, en subjuntivo, se mantiene en todas las personas.
  - Los verbos **dormir** y **morir**, además de la diptongación en **-ue**, cambian **o>u** en la primera y segunda persona del plural.
  - Las irregularidades consonánticas se repiten en todas las personas.
    El presente de subjuntivo solo tiene cuatro irregulares propios: **ser, haber, ir** y **saber.**

Presente de subjuntivo

	habl -ar	con⸙	viv -ir
Yo	habl**e**	com**a**	viv
Tú	habl**es**	com**as**	viv
Él/ella/usted	hab⸙	com**a**	viv
Nosotros/as	hab⸙	com**amos**	viv
Vosotros/as	hab⸙	com**áis**	viv
Ellos/ellas/ustedes	habl**en**	com**an**	viv

Presente de subjuntivo irregularidades vocálicas

e>ie	o>ue	o>ue	e>i
pensar	poder	dormir	pedir
piense		d**ue**rma	pida
⸙enses		⸙ermas	pidas
⸙ense		⸙**ue**rma	pida
⸙semos	podamos	⸙amos	pidamos
⸙enséis	podáis	⸙máis	pidáis
piensen	p**ue**dan	d**ue**rman	pidan

CONTINÚA ┈┈▶

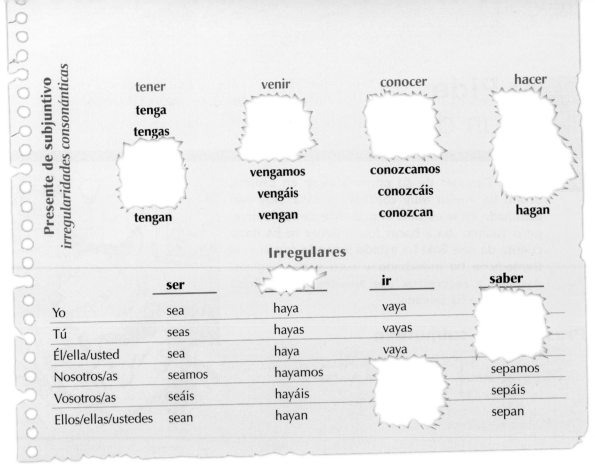

Presente de subjuntivo
irregularidades consonánticas

tener	venir	conocer	hacer
tenga			
tengas			
	vengamos	conozcamos	
	vengáis	conozcáis	
tengan	vengan	conozcan	hagan

Irregulares

	ser		ir	saber
Yo	sea	haya	vaya	
Tú	seas	hayas	vayas	
Él/ella/usted	sea	haya	vaya	
Nosotros/as	seamos	hayamos		sepamos
Vosotros/as	seáis	hayáis		sepáis
Ellos/ellas/ustedes	sean	hayan		sepan

3.2. Observa esta fotografía. ¿Qué te sugiere?

3.2.1. Mientras los demás se divierten en la fiesta, Bruno está muy pensativo: hoy no ha entendido bien la clase de Gramática. La profesora ha hablado de los usos del subjuntivo, de deseos, consejos, permiso, prohibición... ¡Un lío! Pero, de repente...

3.2.2. 👥 📖 **Y para asegurarse, Bruno busca en su cuaderno ejemplos de cada una de estas funciones. Aquí tienes los que ha encontrado, clasifícalos según su función.**

1. Mira a la cámara y calla.
2. Prueba la tarta, está buenísima.
3. No te enfades, por favor.
4. Trabaja con alegría.
5. Dame la mano.
6. ¡No te comas los apuntes!
7. Sé feliz.
8. Tutéame, por favor.
9. No te pongas demasiado elegante, ¿vale?
10. Leed todos los días un poco, es conveniente.

- Dar consejos o recomendaciones ....
- Invitar ....
- Expresar permiso o prohibición ....
- Dar órdenes o instrucciones ..1..........................
- Expresar peticiones o deseos ....

3.2.3. 👥 📖 **Bruno ha llegado a la conclusión de que con el imperativo siempre tratamos de influir en el ánimo o en el comportamiento de otras personas. Mirando de nuevo sus apuntes, ha relacionado esos verbos con las funciones del imperativo.**

1. Te prohíbo que...
2. Te pido que...
3. Te aconsejo que...
4. Te recomiendo que...
5. Te dejo que...
6. Deseo/Espero que...
7. Te permito que...
8. Te sugiero que...
9. No quiero que...
10. ¿Te apetece que...

- Dar consejos o recomendaciones ....
- Invitar ....
- Expresar permiso o prohibición ....
- Dar órdenes ....
- Expresar peticiones o deseos ....

Para dar consejos o recomendaciones, invitar, expresar permiso o prohibición, dar órdenes, expresar peticiones o deseos, se puede usar:

· **Imperativo:**
   Lee *todos los días un poco.*

· **Verbo +** ***que*** **+ subjuntivo:**
   Te aconsejo que leas *todos los días un poco.*

3.3. 👤 ✏️ **Cada uno de los regalos que ha recibido Carmen llevaba una tarjeta llena de buenos deseos, pero ella estaba tan emocionada que sus lágrimas han emborronado algunos verbos. Son los que tienes en el recuadro; completa con ellos las tarjetas.**

tener • ayudar • cumplir • gustar • disfrutar • ser • poder • dejar • saber • hacer • pasar

Hija, deseo que todos tus sueños se .... realidad y que .... escribirlo en las páginas de este diario, que, por cierto, espero que te ....

Mamá

HERMANITA, ESPERO QUE CON ESTA MINICADENA .... RATOS MUY AGRADABLES Y NO .... QUE VOLVER A USAR MI EQUIPO DE MÚSICA Y, YA PUESTOS, AUNQUE NO TE REGALO UN MÓVIL, TAMBIÉN ESPERO QUE, EN ADELANTE, ... DE UTILIZAR EL MÍO.

JUAN

CONTINÚA ....▸

Niña, espero que estos diccionarios te .... en tus estudios y que tus notas .... este curso tan buenas como las del año pasado. Quiero que .... que en este día te deseo lo mejor.

Tu padre

Carmen, ¡felicidades! Espero que .... muchos más junto a la gente que quieres y, también, que .... con este libro.

Bruno

3.4. 👤 ✏️ **Juan y Carmen, al terminar la fiesta familiar, han decidido salir de marcha y han invitado a Bruno. Se lo han pasado tan bien que han vuelto a casa demasiado tarde. Bruno ha encontrado una nota del Sr. García. Léela.**

Deseo, Bruno, que te sientas como en tu casa, pero también quiero que sepas que tenemos unas normas de convivencia y te pido, por favor, que las respetes.

Debes saber que no permito que mis hijos beban alcohol, que salgan de noche entre semana, ni que duerman fuera de casa sin avisar. Espero que, si algún día piensas pasar la noche fuera, nos llames para decírnoslo.

También te pido que colabores en las tareas del hogar como uno más, que dejes tu cuarto siempre ordenado y que cumplas tus turnos en las tareas compartidas, ¿de acuerdo?

Puedes usar el ordenador y conectarte a Internet si lo necesitas, pero te ruego que lo hagas por la tarde, a partir de las cinco, que la tarifa es más baja. No quiero que entres en páginas web de pago.

En cuanto a tu estancia en nuestro país, te aconsejo que aproveches el tiempo, que visites los museos y que estudies nuestra cultura; también te recomiendo que comas en restaurantes típicos y que vayas al teatro; hay funciones muy interesantes. Seguro que tus padres no quieren que te gastes el dinero en bares y discotecas y esperan, igual que yo, que este viaje te enriquezca y sea una experiencia valiosa para ti.

3.4.1. 👥 ✏️ **Ahora, con tu compañero, selecciona en el texto las frases que indican.**

1. Orden ....

2. Deseo ....

3. Consejo ....

4. Petición ....

5. Prohibición ....

3.4.2. 👥 💬 **Estas son unas normas de convivencia muy comunes en la familia española. ¿Te parecen duras? ¿Es igual en tu familia? ¿En tu país?**

3.5. En la clase de Bruno, hoy han hecho un debate sobre lo que está permitido y prohibido en sus países. Aquí tenéis parte de la información. ¿Por qué no la comentáis y la ampliáis hablando de las leyes de vuestro propio país?

Está prohibido en:
- **EE UU** que los menores de 21 años beban alcohol y que la gente fume en los lugares públicos.
- **España** que las tiendas vendan alcohol después de las 10 de la noche.
- **Brasil** que las bañistas hagan *topless* en las playas públicas.
- **Italia** que los votantes se abstengan en las elecciones.

Está permitido en:
- **EE UU** que los jóvenes conduzcan a partir de los 16 años.
- **Holanda** que la gente consuma drogas blandas en locales especiales.
- **Suecia** que los homosexuales contraigan matrimonio.
- **España** que las discotecas abran hasta las siete de la mañana.
- **Bélgica** que los médicos practiquen la eutanasia.

3.6. Igual que han hecho los compañeros de Bruno el último día de clase, escribid entre todos una carta con consejos, advertencias y sugerencias para los estudiantes que van a empezar a estudiar español, usando, por supuesto, el imperativo y el subjuntivo.

Queridos compañeros:

1. ¿Tienes en tu lengua alguna estructura o tiempo verbal que tenga las mismas funciones que el imperativo en español?

2. Piensa en tres funciones del imperativo que también se puedan expresar con subjuntivo y escribe ejemplos.

3. ¿Qué tienen en común imperativo y subjuntivo en español?

4. Para empezar a estudiar el subjuntivo, sus formas y usos, es muy importante que conozcas bien el indicativo. ¿Crees que ya estás preparado? Si no es así, ¿qué deberías revisar del indicativo?

Revisión 11-19

Contenidos funcionales

- Contar anécdotas en un periodo de tiempo terminado y no terminado
- Descripción de personas, animales y objetos en pasado
- Describir las circunstancias de los hechos del pasado
- Hacer conjeturas
- Hablar de algo sin precisar

Contenidos gramaticales

- Pretérito imperfecto
- Contraste pretérito perfecto/indefinido/imperfecto
- *Soler* (imperfecto) + infinitivo
- Expresiones y adverbios de frecuencia
- *Estar* (imperfecto) + gerundio
- Futuro imperfecto
- Condicional simple
- Presente de subjuntivo

Contenidos léxicos

- Los cuentos
- Adjetivos de descripción física y de carácter

Contenidos culturales

- Frases hechas de los cuentos infantiles en España

I Certamen internacional de **cuentacuentos Prisma**

1 **Selecciona entre los siguientes elementos aquellos que marcan el final de un cuento. Comenta con tu compañero cómo terminan los cuentos en vuestros respectivos países.**

- **a.** Colorín, colorado, este cuento se ha acabado.
- **b.** Fin.
- **c.** Fueron felices y comieron perdices.
- **d.** Y se terminó.
- **e.** Y así termina la historia de Pepito, el Zanahoria.

2 **Marca en el cuento los elementos que aparecen dentro del recuadro.**

> principio · palabras repetidas · final
> · diálogos · diminutivos · magia

En mi armario

Había una vez un niño llamado Martín que tenía miedo a dormirse, porque creía que dentro de su armario vivía una pesadilla que salía todas las noches cuando él estaba dormido.

Una noche, Martín decidió esperar, junto a sus armas de combate, hasta que saliera la pesadilla. Esperó y esperó, pero no sucedía nada. Justo en el momento en que empezaba a dormirse, se abrió lentamente la puerta del armario. Entonces, Martín se levantó encendió la luz y se encontró de frente con la pesadilla. Martín apuntó con su escopetilla de juguete y disparó, la pesadilla se asustó al ver al niño y empezó a llorar. Martín le dijo a la pesadilla: "¡Cállate, cállate, vas a despertar a mis papás!" Pero la pesadilla no paraba de llorar y de mirar asustada hacia el armario. Martín sintió lástima de la pesadilla y la invitó a dormir en su cama junto a él. Se metieron en la cama, pero Martín no paraba de vigilar a la pesadilla y la pesadilla no paraba de mirar al armario.

Al final se quedaron dormidos. En ese momento se abrió lentamente la puerta del armario y apareció... una pesadilla.

Colorín, colorado, este cuento se ha acabado.

3 👪 ❖ **Vamos a empezar a crear el cuento, pero va a ser un cuento colectivo; todos vais a participar en todos los cuentos. El profesor os dará las instrucciones y material para empezar a escribir el cuento.**

4 👪 ✏️ **Cuando hayáis terminado el principio del cuento, pasádselo al grupo de vuestra derecha, que cogerá otras tres tarjetas de cada grupo y las incluirá en la historia ya comenzada. Así, sucesivamente, hasta que cada cuento pase por cada grupo.**
Cuando el cuento que habéis empezado a escribir llegue a vuestras manos, lo leeréis y escribiréis el final. Entonces, el proceso de creación habrá terminado y comenzará el certamen de cuentacuentos.

> **Recuerda:**
> · No olvidéis que deben aparecer los elementos que caracterizan los cuentos tradicionales: las fórmulas de principio y fin, los diminutivos, las palabras repetidas, los diálogos y la magia.
> · Todos los elementos obligatorios que se incluyen en la historia deben relacionarse entre sí.

5 👥 💬 **Cuenta a tus compañeros el cuento confeccionado, empezando por el título, sin olvidar que estáis en un certamen y que tenéis un jurado que va a evaluar vuestro trabajo y vuestras cualidades como cuentistas.**

1. **Contesta a las siguientes preguntas para elegir el ganador del "I CERTAMEN DE CUENTA-CUENTOS PRISMA".**

UN JURADO IMPARCIAL*

a. ¿Qué cuento ha sido el más imaginativo?

b. ¿Qué grupo ha sabido contar mejor su cuento?

c. ¿Qué cuento ha sido el más divertido?

d. ¿Cuál ha sido el cuento que más te ha gustado?

e. ¿En que cuento se han introducido los elementos obligatorios de una forma más suave, sin forzarlos?

* Debéis ser lo más objetivos posibles y nunca podéis votar a vuestro propio cuento.

2. **Tras la entrega de premios, haz conjeturas sobre lo que sucederá en el futuro a los personajes de los cuentos más votados, incluyendo entre ellos el ganador.**

Ejemplo: Supongo que Blancanieves abandonará al Príncipe porque la vida en palacio será demasiado fácil y se aburrirá mucho.

AUTOEVALUACIÓN

1. **Escribe el imperativo de:**

☐ **a.** poner(tú)......................

☐ **b.** venir(tú)......................

☐ **c.** salir(tú)......................

☐ **d.** oír(tú)......................

☐ **e.** ir(tú)......................

☐ **f.** decir(tú)......................

2. **Transmite las palabras de estas personas:**

1. **Marta:** ¿Quieres un poco de tarta?

Marta pregunta ....

2. **Javier:** ¿Dónde están mis gafas?

Javier pregunta ....

3. **Carmen:** Tengo un dolor de muelas terrible.

Carmen insiste en ....

4. **Consuelo:** Entonces quedamos en mi casa a las tres.

Consuelo dice ....

3. **Escribe el infinitivo de estos verbos:**

1. Supe ....

2. Quiso ....

3. Estuvimos......................

4. Vinisteis......................

5. Huyeron ....

6. Pidió ....

7. Durmieron......................

8. Hubo ....

9. Pudiste......................

10. Anduve ....

11. Conoció......................

12. Se sintió ....

13. Se sentó ....

14. Saltaste ....

15. Fueron ....

4. **Marca la opción correcta:**

1. La casa .... grande y luminosa.

☐ **a.** era

☐ **b.** fue

2. Ayer .... en el cine.

☐ **a.** estábamos

☐ **b.** estuvimos

3. Antes .... más pelo.

☐ **a.** tenía

☐ **b.** tuvo

4. Cuando .... pequeños, ... más.

☐ **a.** eran/viajaban

☐ **b.** fueron/viajaron

5. Esta mañana .... un café con leche.

☐ **a.** he tomado

☐ **b.** tomé

6. Recuerdo que todos los días .... a casa de los abuelos.

☐ **a.** ibais

☐ **b.** fuisteis

7. Toda mi vida .... pesadillas.

☐ **a.** tenía

☐ **b.** he tenido

8. El domingo pasado .... tres horas.

☐ **a.** estábamos trabajando

☐ **b.** estuvimos trabajando

5. **Transforma las frases usando: al cabo de x (tiempo)... x (tiempo) después.**

1. En el siglo XIX no había aviones. En el siglo XX viajábamos al espacio.

   En el siglo XIX no había aviones y un siglo después ya viajábamos al espacio.

2. En 1989 empecé la carrera. La acabé en 1993.

   ....

3. En mayo me fui de vacaciones. Volví en junio.

   ....

4. El lunes me puse enferma. El jueves fui a trabajar.

   ....

6. **Sustituye la información que se repite por el pronombre adecuado.**

a. ¿Dónde has comprado esa camisa? He comprado esta camisa en Zara.

b. ¿Conoces a Juan? Sí, conozco a Juan desde hace mucho tiempo.

c. ¿Has comprado el regalo a María? No, no he comprado el regalo a María.

7. **Elige la opción correcta.**

1. Ayer.............en el museo de Cádiz.

   ☐ **a.** fuimos ☐ **b.** estuvimos

2. Las sillas .... de plástico.

   ☐ **a.** estaban ☐ **b.** eran

3. A las tres de la tarde los bancos en España..............cerrados.

   ☐ **a.** están ☐ **b.** son

4. La verdad es que ....verde en matemáticas.

   ☐ **a.** soy ☐ **b.** estoy

5. ¿Dónde está la recepcionista? Hace un momento estaba aquí.

   ☐ **a.** No sé, está en la oficina del director.

   ☐ **b.** No sé, estará en la oficina del director.

6. Yo en tu lugar.....

   ☐ **a.** se lo contaría ahora mismo.

   ☐ **b.** Se lo contaré ahora mismo.

7. Quiero que...........conmigo a comprar ropa.

   ☐ **a.** vienes ☐ **b.** vengas

El Cronómetro
Manual de preparación del DELE
Nivel B1 (inicial)

1. Este libro sirve para prepararte para el examen del *Diploma de Español como Lengua Extranjera. Nivel B1 (Inicial)*.

2. El examen tiene una serie de dificultades. Para superarlas se necesitan tanto conocimientos del español como habilidades lingüísticas. Con este libro podrás repasar esos conocimientos y practicar esas habilidades.

3. Además, este manual te va a informar de numerosos aspectos del examen, como la estructura, las instrucciones de los ejercicios, el tiempo disponible para cada prueba, etc. Toda esa información ⓘ está organizada de la siguiente manera: una primera sesión de trabajo (*Sesión 0*) con información general, cinco *Introducciones* a cada una de las pruebas del examen, y pequeños comentarios en las sesiones. En la *Última sesión* de trabajo tienes información sobre cuestiones prácticas para el día del examen.

4. Uno de los objetivos más importantes de este manual es que conozcas y ensayes el modelo de examen al que te vas a enfrentar. Por eso, las actividades están diseñadas a imagen de los ejercicios del examen. Los autores del manual son profesores del Instituto Cervantes y conocen en profundidad estos exámenes.

5. Este manual te permite trabajar de forma autónoma. Prácticamente todo lo que necesitas, incluyendo las claves, está en el libro. La presencia de un profesor y de un grupo de estudiantes que se estén preparando como tú pueden contribuir a que el esfuerzo de preparación sea menor. De igual manera, el profesor podrá encontrar aquí los materiales necesarios para preparar convenientemente a sus alumnos, adaptando las sesiones del libro a su realidad.

6. La preparación se organiza en tres fases. En la primera y en la segunda, que hemos llamado *"Vueltas"*, vas a conocer todas las pruebas en detalle, con consejos y actividades preparatorias para realizarlas. La tercera fase, llamada *"Línea de meta"*, consiste en un examen completo, sin ningún tipo de ayuda. Observa el índice: el manual reproduce en su estructura la estructura del examen.

7. Este manual se organiza en forma de Sesiones de trabajo. En ellas se te proponen ejercicios agrupados en tareas. No hay que realizarlas todas, sólo las que puedan ayudarte en tu preparación. Para saber qué se va a hacer en cada sesión, éstas tienen un resumen de las habilidades 🎒 y las dificultades 🎲 que se trabajan. Las sesiones de trabajo incluyen, al final, el apartado de *Claves*, con soluciones y comentarios. Cada sesión supone unas *dos horas* de trabajo.

8. Un último consejo antes de empezar: el examen se hace dentro de unos límites de tiempo, por eso debes tener una idea clara y realista del tiempo que necesitas para cada prueba. Habituarte a controlar este factor es de gran importancia. Es importante tener a mano un reloj o un cronómetro, lo necesitarás en todas aquellas actividades que llevan esta instrucción:● ● ● ● ●🕐 *Pon el reloj*.

La información sobre la estructura, el nivel, el sistema de evaluación y las cuestiones administrativas del examen lo puedes encontrar en la siguiente dirección: http://diplomas.cervantes.es

A continuación, te ofrecemos las sesiones 3 y 15 como muestras del manual.

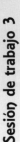

Comprensión de lectura: los campamentos infantiles

Sesión de trabajo 3

-Leer de forma selectiva
-Buscar datos concretos entre textos diversos

-Variedad de textos cortos sobre un mismo tema
-Limitación del tiempo

Tarea 1

Primer contacto

En este ejercicio tienes que encontrar muchos datos repartidos en un grupo de textos que tienen el mismo tema: los campamentos infantiles de verano. Este tema aparece en el título. Recuerda que dispones de unos **15 minutos**.

● ● ● ● ● ● Pon el reloj.

CAMPAMENTOS INFANTILES DE VERANO

Texto

De inglés
Campus donde los niños de 12 a 18 años aprenden un segundo idioma mientras disfrutan de la playa, situada a 15 minutos andando. Los chicos se alojan en un colegio ubicado dentro de la zona universitaria.
Del 8 al 23 de julio; del 10 de junio al 25 de julio; del 29 de julio al 13 de agosto.
Desde 935 € dos semanas.
Incluye pensión completa. Curso de 20 lecciones semanales de inglés (libros no incluidos) y tres excursiones por quincena.

De equitación
Permite a niños de edades comprendidas entre los 7 y los 14 años acercarse por primera vez al mundo de los caballos, aunque los ya iniciados en el deporte de la equitación podrán también asistir al campamento. Todos los cursos dan comienzo el día uno de cada mes.
275 € semanales.
Abierto durante todos los meses de verano (excepto agosto) aunque la estancia máxima es de un mes.
La granja, situada a tan solo quince kilómetros de la ciudad más cercana, es el alojamiento ideal para estar en contacto directo con la naturaleza y con los animales.

De buceo
Ofrecen actividades subacuáticas durante los meses de junio, julio y septiembre. Las clases teóricas tienen lugar en la piscina del centro. La edad mínima para participar es de 10 años y la máxima de 18. Los menores de 15 años deberán ir acompañados de un adulto durante las sesiones en mar abierto. Se aceptan principiantes absolutos aunque es necesario saber nadar. Alojamiento en albergues juveniles a pocos kilómetros del centro de buceo (media hora de autobús escolar).
Incluye material didáctico y equipo.
Certificación reconocida.
380 € por 5 clases teóricas / 4 inmersiones en mar abierto (excepto si las condiciones meteo-

rológicas no son las adecuadas; en tal caso, se le devolverá el 25% del importe total).

De escalada
Este curso que comienza el lunes 6 de agosto y que tiene una duración de dos semanas está dirigido a niños de entre 7 y 13 años con experiencia en este deporte.
Se realizan escaladas de pared en el gimnasio durante la semana y una excursión a la montaña para practicar la escalada en roca cada fin de semana.
Incluye material necesario y seguro de accidentes. Precio con alojamiento (en residencia) incluido: 830 €.

De baloncesto
20 lecciones semanales impartidas por expertos entrenadores reconocidos oficialmente.
Los cursos se celebran en dos turnos: del 1 al 15 de julio para niños de 5 a 11 años y del 15 de julio al 30 de julio para niños de 12 a 18.
Los niños asistirán como espectadores a un partido entre equipos locales.
369 € en total (10% de descuento si se realiza la inscripción antes del 1 de junio).

De música
Para niños de 7 a 14 años. No se requieren conocimientos previos ya que el programa ofrece diferente tipos de cursos adaptados a los niños.
La casa rural donde se alojan se encuentra en plena naturaleza e invita al descanso y a la relajación.
Del 1 al 15 de julio o bien del 16 al 31 del mismo mes.
El plazo de inscripción finaliza el 1 de junio.
Tiene tarifas especiales para grupos.
700 € por quincena con todo incluido (comida, instrumentos, etc.).
A final del curso se organizarán conciertos en los que los protagonistas serán los niños.
En caso de accidente el hospital más cercano se encuentra a 10 minutos en coche.

1. Se requiere experiencia previa para participar en los cursos:
   - ☐ a) de equitación.
   - ☐ b) de escalada.
   - ☐ c) de buceo.

2. Los niños reciben una acreditación tras haber participado en el curso:
   - ☐ a) de buceo.
   - ☐ b) de música.
   - ☐ c) de baloncesto.

3. El campamento que mayor número de excursiones ofrece es:
   - ☐ a) el de inglés.
   - ☐ b) el de escalada.
   - ☐ c) el de baloncesto.

4. Podrá pagar menos si matricula a su hijo antes del 1 de junio en el campamento:
   - a) de música.
   - ☐ b) de equitación.
   - ☐ c) de baloncesto.
   - ☐

5. El campamento de equitación:
   - ☐ a) ofrece al mismo tiempo cursos para niños con experiencia y niños sin experiencia.
   - ☐ b) solo permite permanecer en la granja durante una semana.
   - ☐ c) está alejado de la ciudad.

6. Un niño de 13 años aunque tenga experiencia, si va solo no podrá participar:
   - ☐ a) en el campamento de baloncesto.
   - ☐ b) en todas las actividades del campamento de buceo.
   - ☐ c) en el campamento de escalada.

7. Los niños podrán demostrar lo que han aprendido durante los cursos:
   - ☐ a) de música.
   - ☐ b) de baloncesto.
   - ☐ c) de equitación.

8. El curso de inglés:
   - ☐ a) cuesta 935 €, con todo incluido.
   - ☐ b) incluye cuarenta lecciones de inglés.
   - ☐ c) tiene lugar en septiembre.

9. El campamento organizado junto al mar es el que tiene el alojamiento en:
   - ☐ a) una casa rural.
   - ☐ b) una granja.
   - ☐ c) un colegio universitario.

10. Un grupo de amigos de 17 años podrán participar la segunda quincena de julio en el campamento:
    - ☐ a) de música.
    - ☐ b) de inglés.
    - ☐ c) de baloncesto.

● ● ● ● ● ● 🕐 ¿Cuánto tiempo has tardado? Anótalo aquí: ___

Análisis de la tarea

	Sí	No
• He tardado menos de 15 minutos en encontrar las opciones correctas.	☐	☐
• He podido encontrar fácilmente en el texto la información necesaria para responder.	☐	☐
• La falta de práctica en este tipo de ejercicios me ha hecho perder tiempo.	☐	☐
• No he tenido dificultades con el vocabulario del texto.	☐	☐
• He entendido las preguntas.	☐	☐

• ¿Qué puedes hacer para mejorar los resultados la próxima vez? Anota aquí tu comentario.

....
....
....
....
....
....
....

Tarea 2

Tipos de preguntas

Tipo 1

Tienes que comparar el mismo dato en tres textos diferentes. Para contestar deberás:
1.° - localizar solamente los tres títulos que se proponen en las opciones;
2.° - localizar los datos relacionados con lo que se pregunta;
3.° - comparar las informaciones que dan los textos.

1.	Se **requiere experiencia previa** para participar en los cursos:		Es decir: ¿es necesario tener experiencia? El texto dice...
a	de equitación. ✗		*Permite a niños [...] acercarse por primera vez al mundo de los caballos, aunque los ya iniciados [...]*
b	de escalada. ✔		*Está dirigido a niños [...] con experiencia en este deporte.*
c	de buceo. ✗		*Se aceptan principiantes absolutos.*

Tipo 2

A veces el texto no dice nada de la información que buscamos y otras veces uno de los textos incluye información que puede crear confusión. Veamos la pregunta 2.

2.	Los niños reciben una **acreditación** tras haber participado en el curso:		¿Se recibe algún tipo de título después del curso? El texto dice...
a	de buceo. ✔		*Certificación reconocida.*
b	de música. ✗		No dice nada.
c	de baloncesto. ✗		*20 lecciones semanales impartidas por **expertos entrenadores reconocidos oficialmente**.*

Tipo 3

Se trata de localizar diferentes datos en un mismo texto. Tendrás que:

1.° - localizar el texto y centrarte en él;
2.° - buscar datos diferentes, y para eso hacerte diferentes preguntas para cada una de las opciones;
3.° - confirmar las afirmaciones.

5.	El campamento de equitación:	Preguntas posibles	El texto dice...
a	ofrece al mismo tiempo cursos para niños con experiencia y niños sin experiencia. ✔	¿Se necesita experiencia? ¿Los cursos son paralelos?	*Permite a niños [...] acercarse por primera vez al mundo de los caballos, aunque los ya iniciados [...] Todos los cursos dan comienzo el día uno de cada mes.*
b	solo permite permanecer en la granja durante una semana. ✗	¿Cuánto tiempo se puede permanecer en la granja?	*[...] la estancia máxima es de un mes.*
c	está alejado de la ciudad. ✗	¿Dónde está la granja?	*[...] situada a tan solo quince kilómetros de la ciudad más cercana.*

Tarea 3

Preguntas y temas

Es importante identificar rápidamente el tema de cada enunciado (la primera frase de la pregunta) y en cada opción. Relaciona los siguientes temas y la frase que trata ese tema.

● ● ● ● ● ❗ Uno de los temas tiene dos frases y otro no tiene frase.

1 El precio.	a Está dirigido a niños de hasta 12 años.
2 Las fechas.	b Podrá inscribir a su hijo hasta el 1 de junio en el curso de...
3 La edad de los participantes.	c Tiene lugar durante todo el verano.
4 Plazos de matrícula.	d Es más barato si se realiza la inscripción antes del 1 de julio.
5 La duración del curso.	e Se impartirán clases teóricas en...
6 Las actividades que se realizan.	f Al final del curso, se entregará un certificado en los cursos de...
7 Condiciones de la matrícula.	g Los niños residirán en una granja en el campamento de...
8 El tipo de alojamiento.	h Por 369 € su hijo recibirá clases de...
9 Los títulos.	i Si hace mal tiempo, se cancelarán las actividades al aire libre del curso de...

Primera vuelta

Tarea 4

Segunda tanda de preguntas

Aquí tienes una segunda tanda de preguntas sobre los mismos textos de la Tarea 1. Identifica primero a qué tipo de preguntas pertenecen.

1. El campamento de baloncesto:
   - ☐ a) se celebra del 1 al 30 de julio, en dos turnos.
   - ☐ b) incluye la participación en un partido.
   - ☐ c) es más barato si se realiza la inscripción antes del 1 de julio.
2. El curso de buceo:
   - ☐ a) tiene lugar durante todo el verano.
   - ☐ b) acepta niños sin experiencia en el deporte del buceo.
   - ☐ c) imparte clases teóricas en mar abierto.

3. En uno de los cursos se impartirán clases teóricas:
   - ☐ a) en la piscina.
   - ☐ b) en la granja.
   - ☐ c) en la montaña.
4. El niño tendrá contacto con los animales en el curso de:
   - ☐ a) inglés.
   - ☐ b) buceo.
   - ☐ c) equitación.

Preguntas Tipo 1	Preguntas Tipo 2	Preguntas Tipo 3

Claves

Tarea 1:
1: b; 2: a; 3: a; 4: c; 5: a; 6: b; 7: a; 8: b; 9: c; 10: c.

Tarea 3:
1: h; 2: c; 3: a; 4: b; 6: e; 7: d; 8: g; 9: f. El tema que no tiene frase es el 5.

Tarea 4:
Tipos de preguntas: Tipo 1: 4; Tipo 2: 3; Tipo 3: 1,2.
1: a; 2: b; 3: a; 4: c.

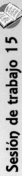
Expresión oral: historietas

-Describir personas y acciones cotidianas
-Expresar gustos y preferencias sobre temas personales

-Interpretación de un dibujo
-Hablar de un tema a partir de un dibujo

Tarea 1

Imagina

Observa el siguiente dibujo. Imagina que tienes que describirlo, en español, ante un nativo.

← izquierda derecha →

¿Cuál puede ser la principal dificultad que puedes tener? Anota en tu cuaderno tu comentario. Compáralo luego con el que te ofrecemos en la página 191. Lee ahora estas dos descripciones.

Descripción 1
Es un bar, un sitio donde normalmente la gente va a tomar algo, donde se reúne para charlar, ver la televisión o jugar a las cartas. Mucha gente fuma en los bares. En este, sin embargo, no. Debe de ser por la tarde, después de comer, o poco antes de cenar. A la izquierda hay un camarero y dos clientes en la barra. Detrás se ve una estantería con vasos y botellas. A la derecha, sentados alrededor de una mesa, hay otro grupo de clientes. De los dos clientes de la izquierda, unos es gordo, de unos 55 años, tiene bigote y está medio calvo. Lleva chaqueta, no lleva corbata. El otro es más joven, rubio, lleva jersey y pantalones vaqueros. El grupo de la derecha está formado por viejos que juegan al dominó. Dos de ellos llevan gafas. Hay uno que da la espalda.

Descripción 2
Son cuatro viejos en una tienda y juegan al póquer. Se trata de una película, están rodando una película. Los de la derecha son cuatro mafiosos. Están preparando un robo a un banco. En la tienda de comestibles está el detective, que los mira, intenta escuchar la conversación. El que está en el bar también es policía. Uno de los viejos lleva gafas, no, dos llevan gafas. El chico joven es el director de la película, está explicando qué tiene que hacer cada uno. Por la ventana se ve al técnico de iluminación que pone las luces. El director está triste porque las cosas no van bien. Los viejos no quieren actuar, solo jugar a las cartas.

Busca en las descripciones esta información. Márcala en el texto.
1. ¿Dónde están las personas del dibujo?, ¿qué se hace normalmente en ese sitio?, ¿qué hora es?
2. ¿Cuántas personas hay?, ¿hay grupos?, ¿dónde están esos grupos?
3. ¿Puedes identificar qué están haciendo esas personas?, ¿qué relación hay entre ellos?
4. ¿Cómo son, físicamente?, ¿qué ropa llevan?
¿Cuál de las dos te parece más apropiada para el examen?, ¿por qué? Anota en tu cuaderno tu comentario.

Dos ejemplos

Vas a leer ahora las descripciones de dos candidatos de los siguientes dibujos.

Primera vuelta

Candidato 1

P- Vale, aquí tienes un dibujo y tienes que contarme lo que pasa y describir a los personajes de esta historia.

R- Un poco difícil, pero... bueno, en el primero cuadro se ve un hombre que quiere entrar en una casa, eh..., bueno, en el segundo cuadro el hombre entra en la casa y ve un fantasma, después el hombre corre con cara de susto y en el cuarto cuadro, eh..., este hombre supongo que informa un policía que... hay un fantasma en su casa. Y en el penúltimo cuadro el hombre lleva la policía rápido, eh..., supongo que a su casa. Y en el último cuadro el policía, eh..., ve que es solo una sábana encima de un reloj.

P- ¿Puedes contarme cómo está vestido el hombre?

R- El hombre está vestido con un vestido negro antiguo, supongo que no es de moda ahora, y con traje bastante formal, lleva pantalones normales y zapatos negra... negros. Y lleva también un bastón.

P- ¿Y la habitación? ¿Cómo es la habitación?

R- La habitación no se ve nada, solo el reloj.

Candidata 2

P- Me cuentas un poco qué hay, qué ves, una descripción de los personajes, del ambiente, del sitio donde están.

R- Sí. Bueno. En la primera viñeta veo que es una situación en una playa, supongo, porque hay arena y un mar, hay gente que quiere bañarse, y se ve un poquito las nubes y aves en el cielo, y un parasol, dos, tres o más parasoles, y gente al borde del mar. En la segunda viñeta se ve tres personas, supongo que es una pareja con una hija que están tomando el sol, y se ve que la hija es... está asombrada un poquito porque el padre, obviamente que es el padre, está tirando una botella vacía en el medio ambiente, en la... La tercera viñeta se ve la hija enfadada y... después se ve, bueno, el mismo padre con una pie creo que es un yeso, y... se supone que el padre ha tirado la botella, supongo que la botella se ha roto y ahora mismo ha pisado en el vidrio roto y quizás ha hecho daño y ahora tiene una herida en el pie, supongo.

P- Y la hija, ¿cómo reacciona?

R- La hija dice que... ya te lo he dicho que no lo hagas, y ah... que no hay que hacerlo, y, bueno, la hija está..., el padre está triste y la hija supongo que está triste pero dice que bueno, no hay que hacerlo, y le da una bronca, un poquito.

P- ¿Dónde están?

R- ¿En la última viñeta?

P- Sí.

R- Supongo que salen de un hospital, ¿no?

P- Vale. ¿Qué llevan en los pies?

R- ¿En la última viñeta?

P- Ahá.

R- Él tiene un pie con un yeso, el pie derecho, y el pie izquierdo tiene unas chanclas, y la hija, la niña tiene sandalias.

Historieta A

Historieta B

Preguntas

	Sí	No
1. ¿Han descrito bien a los personajes y las acciones?	☐	☐
2. ¿Se han detenido en los detalles?	☐	☐
3. ¿Han contado adecuadamente la historia?	☐	☐
4. ¿Han tenido dudas, han perdido el hilo o se han bloqueado?	☐	☐
5. ¿Han cometido muchos errores de gramática o de vocabulario?	☐	☐

Haz ahora una descripción de las siguientes escenas, una por una, independientemente. Responde a las preguntas que tienes para cada dibujo.

● ● ● ● ● ● ❶ Lo mejor es hacer las descripciones en voz alta, sin escribirlas.

¿Qué sitio es?, ¿qué hora es?, ¿qué se ve?, ¿qué ambiente hay?, ¿qué se hace normalmente ahí?	¿Es el mismo sitio de antes?, ¿qué parte?, ¿qué personas hay?, ¿puedes describir al que está en primer plano?, ¿y al que está a la izquierda de pie?	¿Es el mismo sitio?, ¿o una parte?, ¿qué se ve en primer plano?, y ¿al fondo?, ¿cuántas personas hay?, ¿qué hacen?	¿Quién es?, ¿a qué se dedica?, ¿cómo es físicamente?, ¿qué edad tiene?, ¿qué está haciendo?, ¿hacia dónde mira?

Imagina ahora que tú has ido a ese sitio, has hecho esas cosas, has escuchado el concierto. Cuenta brevemente la experiencia, en voz alta, imaginando que estás delante del entrevistador. Graba la descripción y escúchate. Analiza la descripción con las preguntas anteriores.

Tarea 3

Comentarios

Después de describir la historieta, el entrevistador pregunta al candidato por los gustos y preferencias que tiene. Para eso, aprovecha el tema del dibujo. Obsérvalo en la conversación de uno de los dos candidatos anteriores. ¿A qué candidato corresponde?

Candidato n.º___

P- Vale, ya está. ¿puedes imaginar que esto es una película de horror?
R- Sí, puede ser una... una película de humor de Charlie Chaplin.
P- ¿Y a ti te gusta este tipo de cine?
R- Sí, el humor sé, las pelis de Charlie Chaplin no, porque es otra época. Yo soy más joven.
P- Sí, bastante más.
R- Sí.
P- Entonces, ¿te gusta el cine de... la comedia te gusta?
R- Sí. A mí me gusta el cine, a mí me gusta ver pelis. Visito varias veces en el mes el cine. Pero a mí me gusta también hacer pelis con amigos.
P- ¡¡Hacerlas?!
R- Sí, sí. Tengo algo como una propia producción para...
P- ¿En serio?
R- ...hacer pelis pequeñas y...
P- ¿Y cómo las hacéis? ¿Con cámara de video...?
R- Sí, con cámaras digitales, después estoy haciendo la postproducción con el ordenador y con programas digitales...
P- Pero se necesitan ordenadores muy potentes, ¿no?, porque esto tiene mucho...
R- Sí, sí. Un ordenador bastante nueva... nuevo.
P- Y ponéis música, y la banda sonora...
R- Sí, sí. Es un trabajo muy creativo, muy dinámico.
P- ¿Y lo hacéis para vosotros, o para enseñarlo en público?
R- Solamente para un público... limitado. Y... pero

también... participaba en algunos festivales aquí...
P- ¿Y qué tal?, ¿han gustado las películas?
R- Sí, más o menos.
P- Porque en España está bastante de moda ahora el cine digital, y el video digital.
R- Sí, hay muchos directores jóvenes que hacen pelis muy creativas, muy...
P- ¿Conoces alguno en concreto?
R- Bueno, aquí hay una scena... pero no sé, no son tan conocidos.
P- ¿Y te acuerdas de la última película que viste?
R- Bueno, sí, aquí en el cinema, y fue de... a mí me gustaba mucho.
P- ¿Por qué?, ¿qué elementos había en esa película que te gustaron?
R- El tema de esta película es un poco difícil... el amor...
P- Sí, sí, pero bueno, aparte de eso, qué elementos de... de cine...
R- Creo que la música es muy importante... la música es muy importante porque la música hace una atmósfera...
P- Más que la imagen.
R- No, no, no, después de las imágenes.
P- Bueno, pues ya está, hemos agotado nuestro tiempo, se ha terminado la entrevista, ha terminado el examen, puedes relajarte, descansar un rato, y sabes que los resultados te los enviarán a tu casa.
R- Gracias.
P- Gracias a ti.

Como ves, el tema de la conversación depende del dibujo y de la interpretación que se haya hecho. ¿Qué temas crees que pueden generar estos dibujos? Anótalo debajo de cada uno. Sigue el ejemplo.

   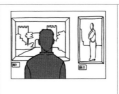 

1: .... 2: .... 3: los deportes....... 4: .... 5: ....

¿Qué puedes decir de esos temas? Aquí tienes algunas preguntas: responde, mentalmente o en voz alta:

1. ¿Te gusta el fútbol?, ¿qué deportes practicas?, ¿con qué frecuencia?, ¿dónde lo practicas?

2. ¿Te gusta ver deportes por la televisión?, ¿qué otros programas te gusta ver?, ¿prefieres la televisión o la radio?

3. Los partidos de fútbol, en España, suelen ser los domingos. ¿Qué haces normalmente los fines de semana?, ¿sales de casa?, ¿te reúnes con los amigos?, ¿haces excursiones con la familia?

Tarea 4

Como en el examen

Aquí tienes una historieta. Prepárala antes de escuchar las preguntas.

● ● ● ● ● ● 🕐 Pon el reloj. Tienes **5 minutos**.

Responde a las preguntas que se te hacen respecto a la historieta. Responde en voz alta. Graba tus respuestas en una cinta y escúchalas después. Aprovecha las preguntas del final para analizarlas.

● ● ● ● ● ❗ Estas preguntas están en estilo formal. Recuerda que en la entrevista puedes elegir entre hablar de *tú* o de *usted*.

15 Escucha la grabación n.º 15 y responde a las preguntas.

Utiliza las preguntas de la tarea 2 para analizar tu descripción.

Claves

Tarea 1

Comentario. Dificultad al describir un dibujo. Depende mucho de cada candidato. La tarea consiste en describir la viñeta. Naturalmente, necesitas un vocabulario concreto y elementos de gramática como la diferencia *ser/estar/hay*. Sin embargo, la principal dificultad para muchos candidatos es la propia interpretación del dibujo. Ten en cuenta dos cosas: no se evalúa tu interpretación del dibujo, y el entrevistador te va a ayudar con preguntas concretas si no sabes qué decir, pero para darle coherencia a tu narración, sí que es importante entender la historia, encontrarle un sentido.

De las dos descripciones, la primera parece más apropiada para el examen, porque se basa más en lo que se ve que en inventarse una historia. La segunda no está mal del todo, pero es más arriesgada, y algunos elementos del dibujo están mal interpretados (en la estantería del fondo hay botellas, así que es más probable que sea un bar, normalmente en las tiendas no hay mesas para sentarse; arriba a la derecha no hay una ventana, sino un cuadro; los viejos no están jugando a las cartas).

Tarea 2

El candidato 1 habla de la historieta B, la candidata 2 de la historieta A.

Preguntas. 1: Sí; 2: Sí; 3: Sí; 4: Sólo el candidato 1 ha tenido dudas importantes por no saber cómo interpretar la historia; 5: No muchos, y no impiden comprender su descripción.

Tarea 3

La transcripción corresponde al candidato n.º1.

Temas posibles. 1: Fiestas en casa, entre amigos, reuniones de familia; 2: Fiestas populares y en la calle; 3: El fútbol, deportes; 4: Actividades de tiempo libre, visitas a museos, teatro, cine, etc; 5: Ir a una librería, a la biblioteca.

El Cronómetro
Manual de preparación del DELE

Colección actualizada que cubre los nuevos niveles de los exámenes DELE según las directrices del **Instituto Cervantes**

El método más completo para afrontar los exámenes con garantía de éxito

Editorial **Edi** numen